パラダイス・ロスト

柳 広司

角川文庫
17960

目次

誤　算　5

失楽園　65

追　跡　121

暗号名ケルベロス　前篇　183

暗号名ケルベロス　後篇　233

誤　算

1

島野亮祐《しまのりようすけ》。

日本からの留学生。

入国スタンプは一九三九年六月十五日。

滲《にじ》んだ文字ははっきりしないが、入国地はおそらくマルセイユ——。

自分の旅券を見つめたまま、島野は首を傾げた。

すると、この国《フランス》にすでに一年以上滞在していることになる。だが……。

何も思い出せなかった。

名前も、身分も、経歴も、それを言えば旅券に貼《は》られた顔写真さえ、まるで自分のものとは思えない。

(違う……俺は……本当は……)

不意に鋭《するど》い痛みが側頭部を襲い、島野は思わず頭に手をやった。指先が、幾重にもきつく巻かれた包帯に触れた。

「無理に思い出そうとしなくていいよ。多分、頭を強く殴られたことによる一時的な記憶障害。よくあることだ。時間が経てば自然に思い出すさ」

島野は痛みに顔をしかめたまま、声がした方に視線を向けた。

気持ちの良い微笑と、茶色の優しい目。ひょろりと背の高い、手足の長い男。

アラン・レルニエ。

さっきそう自己紹介されたばかりだ。

部屋の中には、さらに二人の人物がいた。

がっしりとした体つきに四角い顔、だが、よく見れば甘い口元の男はジャン・ヴィクトール。

残る一人はマリー・トーレス。この部屋で唯一の女性だ。そばかすの目立つ化粧っけのない顔。小麦色の長い髪を頭の上で無造作にまとめ、男のような恰好《かっこう》をしているが、きちんと着飾れば充分美人で通用するだろう。

三人とも二十代半ば。旅券に記された島野の年齢とほぼ同世代だ。

「おいおい。それじゃ、本当に、まるきり何も覚えていないのか？」

窓際に立ったジャンが、呆《あき》れたように口を開いた。

「きみが無謀にもドイツ兵にたてついたことも？　俺たちがどれだけ苦労して、きみを助け出したのかも？」

ドイツ兵にたてついた?

ドイツ兵?

何の話だ?

島野は眉《まゆ》を寄せた。

まだぼんやりとしている頭に意識を集中する。

濃い霧の奥で何かが微《かす》かに蠢《うごめ》く気配があった。

そういえば、と喉元《のどもと》まで出かかった言葉を、島野は慌てて呑《の》み込んだ。

――相手に情報を与えるな。

頭の中で声が聞こえた。

――自分からは決して喋《しゃべ》るな。可能な限り相手に説明させろ。

(なんだ?)

島野は目を細め、内なる声に集中した。声はひどく暗い場所から聞こえていた。喋っている相手の顔は影になって見えない。いや、そうじゃない。違う。あれは――。

「どうした? 何か思い出したのか」

ジャンが島野の顔を覗き込むようにして尋ねた。

「だめだ。何も思い出せない」

島野は顔を上げ、首を振ってみせた。

「教えてくれ、何があった？　ぼくは何をした？　ドイツ兵にたてつく？　だが、ここはフランスだろう？　なぜドイツ兵が出てくる？　何がどうなっているんだ？」

矢継《やつ》ぎ早の質問に三人のフランス人は顔を見合わせた。

「きみが羨《うらや》ましいよ」

アランが唇の端に自嘲《じちょう》的な笑みを浮かべて言った。

「できることなら、ぼくも忘れたいものだな。祖国フランスが今、ナチス・ドイツに占領されている現実なんてね」

2

一九四〇年六月二十二日――。

フランスはドイツ軍の前に呆気《あっけ》なく降伏した。

前年九月、ポーランドに侵攻したドイツに対して、フランスは英国とともに宣戦布告。その後、八カ月に及ぶ〝奇妙な戦争《ドロール・ド・ゲール》〟――顔の見える距離に両国の兵士が対峙《たいじ》しながら戦闘はほとんど行われなかった――を経て、五月、突如進撃を開始したドイツ軍に対して、フランス軍は初めから完全にお手上げ状態であった。

フランスが自ら生命線と呼び、十年の歳月と巨費を投じて完成させたばかりの〝マジノ・ライン〟は、最新鋭のドイツ機甲部隊によって瞬《また》く間に突破された。先の世界大戦で戦勝国となり、〝世界最強〟を自負していたフランス陸軍の幻想は呆気なく打ち砕かれたのだ。

一カ月後の六月十四日には、ドイツ軍は早くもパリを無血占領。

二十二日に結ばれた〝独仏休戦協定〟によって、フランスの国土は占領地区、併合地区、自由地区に三分割されることになった。

パリはドイツ軍の占領下に置かれた。

ドイツの軍人たちが闊歩《かっぽ》する街で、パリ市民は日常の生活を続ける。

いや、公平に言って、戦争時の社会的混乱と物資不足の状態は、ドイツによる占領後、むしろ改善されたと言って良かった。パリにおけるドイツ軍人の振るまいは、パリの人々の予想に反して、礼儀正しく、几帳面《きちょうめん》で、友好的でさえあった。

パリ市民の多くは「無意味な戦争」を早く終わらせたことにホッとしていたのだ。

そんな中、パリ郊外、ブローニュの森の外れで事件が起きた。

きっかけは、一人の老女が自宅を占拠したドイツ軍の一隊に向かって拳《こぶし》を振り上げ、

「うちから出て行け、ドイツ野郎《ボッシュ》ども！」

と怒鳴《どな》り始めたことだ。

降伏条約調印後、フランス国内では公共の建物のみならず一般民家も数多く駐留ド

イツ軍の宿舎として接収された。この接収任務もまた、ドイツ軍がフランス市民への乱暴狼藉《ろうぜき》を厳しく禁じたこともあり、少なくとも表面上は、双方の友好な協力関係のもとに行われた。

実際、ドイツ兵とパリ市民との間にトラブルらしいトラブルは起きていなかったのだ、その時までは。

――ドイツ野郎！

――田舎者！

――ジャガイモ食い！

老婆は中庭に立って、拳を振り上げ、しわくちゃな顔を真っ赤にして怒鳴り続けた。散々怒鳴ったあげく、地面に落ちていた石を拾って投げはじめた。占領された自分の家の窓ガラスを割ろうというのだ。老婆の投げる石は窓まで届かなかった。すると老婆はそのことにまた憤慨し、声高《こわだか》に怒鳴りはじめた。

尤《もっと》も、この時点ではまだ、家を占拠するドイツ兵たちはニヤニヤと笑っていただけだった。頭のおかしな老婆が庭で騒いでいる。ちょっとした余興だ。その程度の認識だったはずだ。

だが、そのうちにドイツ兵たちの顔色が変わった。老婆が怒鳴り散らす罵詈雑言《ばりぞうごん》がやがて、

──くそナチ！

──変態ファシスト！　ヒトラーなんか地獄へ堕《お》ちるがいい！

といった内容に変わったからだ。

家から飛び出して来たドイツ兵たちによって老婆は捕らえられ、訊問《じんもん》を受けた。通訳を介して、老婆はドイツ兵たちを罵倒した。ボッシュ、田舎者、ジャガイモ食い、くそナチ、変態ファシスト、ヒトラーなんか地獄へ堕ちるがいい！

ドイツ兵たちは困惑した。老婆はおそらくどこかで聞きかじった言葉を、ろくに意味もわからぬまま怒鳴っているだけなのだ。だが、反ナチス的発言に加え、総統《フューラー》を公然と貶《おとし》める言葉を口にした相手を野放しにしておくわけにはいかなかった。

老婆は門の外に引きずり出され、木に縛り付けられた。反ナチス的発言、及び総統への暴言を撤回し、謝罪しない場合は、見せしめのために銃殺するといって脅された。

それが単なる脅しでないのは明らかだった。

が、老婆は謝罪するどころか、なおいっそう口汚く罵《のの》り続けた。

「ボッシュ！　田舎者！　ジャガイモ食い！　くそナチ！　変態ファシスト！　ヒトラーなんか地獄へ堕ちるがいい！」

やじ馬が多く集まってきたが、彼らは関わりを恐れて遠巻きに眺めているだけだった。

　これ以上騒ぎを大きくしても仕方がない。

　そう判断した小隊長が肩をすくめ、渋々銃殺を命じようとしたその時、人込みの中から一人の男が歩み出た。東洋人らしい小柄なその男は、周囲を無視してまっすぐに老婆に歩み寄り、あっと言う間に老婆の縄を解き放ってしまった。

　一瞬呆気にとられていたやじ馬たちの間から、やがて拍手と口笛がわき起こった。一方で、東洋人はその場でドイツ兵たちに取り囲まれた。東洋人とドイツ人小隊長との間で二言三言激しい調子の言葉が交わされた。彼は逞《たくま》しい体つきのドイツ兵に両側から腕を取られ、拘束されて、どこかに連れ去られようとした——。


「つまり、それがきみだったというわけだ」

　アランは口元にいたずらっぽい笑みを浮かべて、島野に片目をつむってみせた。

「もちろん、そんなことを黙って見逃すわけにはいかなかった。だってきみは、フランス人の老婆の命を救った英雄なのだからね。今度はぼくたちが勇気を出す番だ。ぼくたちはドイツ兵たちの手からきみを奪還すべく駆け寄った。ドイツ兵を押しのけ、きみの手を引っ張って逃げようとした。ところが……」

　軽く肩をすくめて言葉を切り、すぐに先を続けた。

「ぼくたちの行動を阻止すべくドイツ兵が振り回した自動小銃の台尻《ストック》が、ちょうど勢いよくきみの側頭部にぶつかるはめになってね。……きみに怪我《けが》をさせたのは申し訳ないが、その点は、まあ、不運な事故だったと思って許してくれたまえ」

殴られて、気絶した島野を、彼ら三人がこの部屋に運び込み、手当てと看病をしてくれたということだ。なるほど、お陰でドイツ兵に連行されることは免れたわけだが……。

——余計なことを。

とっさにそんな考えが頭に浮かんだ。なぜそんなことを思ったのか、自分でもわからなかった。

「どうした？」

ジャンが俯《うつむ》いた島野の顔を覗き込むようにして尋ねた。

「何だか迷惑そうな顔になっていたぜ」

「とんでもない」

島野は肩をすくめた。

「ともかく、助けてくれてありがとう」

顔を上げ、にこりと笑ってみせた。

「ねえ、あなた。本当に日本人なの?」

マリーが小首を傾げ、島野に尋ねた。大きな目と長い睫《まつげ》。やはり美人だ。彼女は緑色の瞳《ひとみ》でじっと島野を見つめている。

「さあ、自分じゃ思い出せないけど、この旅券を持っていたところを見ると多分日本人なんじゃないかな」

島野は苦笑し、逆に尋ねた。

「でも、なぜそんな質問を?」

「なぜって……」

「マリーは、きみが日本人なのに、たくさんのヨーロッパの言葉を使いこなせるのが不思議なのさ」

アランがくすくすと笑いながら横から口を挟んだ。

「たくさんのヨーロッパ言語?」

「今きみが使っているフランス語はパリ訛《なま》りだ。ドイツ人将校とはドイツ語で話していた。ところが、気絶しているとき、きみはロシア語でうわごとを言っていたんだ。たぶんハンガリー語でも。聞いた話じゃ、ドイツ軍による占領後も百数十名の日本人がパリに残っているみたいだけど、ぼくたちが知っている日本の人たちはこっちの言葉ができない人物が多いからね」

気がつくと、島野は反射的に顔をしかめていた。理由はわからないが、何か自分がとんでもないヘマをしでかしたような気がした。

「それだけじゃないわ」

マリーは唇を尖《とが》らせてそう言うと、テーブルの上から太い鼈甲《べっこう》縁の眼鏡を取り上げて自分の顔に当てた。

「シマノ、あなたが掛けていたこの眼鏡、全然どが入っていないわ。なぜこんなものを掛けていたの？　それにあなた、口の中に少量の綿を詰めていた。看病するのに邪魔だから眼鏡と綿をとったら顔の印象が急に変わったんで驚いたわ。そうね……」

島野を眺め、微かに頰を染めて言った。

「眼鏡を掛けない方が、あなた、良い男に見えるわ。口の中の詰め綿もない方がね」

「実は、俺も不思議に思っていたんだ」

ジャンが、なぜか慌てたように口を挟んだ。

「彼を肩にかついできたんだが、ここに来る途中の階段をのぼり切ったところで、シマノがある数字を呟《つぶや》いたんだ。三十二。さっき外の様子を見に行ったついでに数えてみたら、階段の数だったよ。……ふん、気絶しながら階段の数をかぞえるだなんて、妙な癖があったものだな」

島野はごくりと唾《つば》を呑み込んだ。嫌な予感がして、かすれた声で尋ねた。

「ぼくはほかにどんなことを喋った？　あとは何を言ったんだ」

「あと？　さあね。いや、待てよ。九〇対八対二？　なんでもそんな数字を呟いていたな。いったい何の数だ？」

島野は首を捻《ひね》った。その数字が何を意味するか、自分でもまるでわからなかった。

そういえば、と今度はアランが何か思いついた様子で口を開いた。

「この部屋で意識をとり戻した時、きみは最初に、まだ朦朧《もうろう》とした様子で『私は親愛なる友のためと、祖国のためには、死ぬことを恐れない』と呟いた。なるほど、きみのベッドの背後の壁にはホラティウスのその言葉が刻まれている。但しラテン語で、ね。だが、あの時きみには見えなかったはずだ。つまりきみは、振り返りもせずに背後のラテン語を読み上げたということになる。妙だなと思ったけど……。

いま気がついたよ。きみはあの時、こちら側の壁にかかった鏡を見ていた——鏡の中のラテン語の反転文字を読んでいたのだとね。なぜきみは、そんなことができる？」

いったん言葉を切ったアランは小首を傾げ、島野の顔をまっすぐに見つめて尋ねた。

「きみはいったい何者なんだ？」

3

反射的に体が強《こわ》ばるのを感じた。

――お前はいったい何者なのだ？

尋ねられた刹那《せつな》、電流のような衝撃が背筋を走り抜けた。野生動物が最期に感じるという本能的な恐怖。背後から音もなく忍び寄る天敵の気配だ。それと気づいた時にはすでに破滅している――そんな感じだった。

その感情がいったい何に由来するのか、島野には全く理解できなかった。

探るような三人の視線がなおも皮膚を食い破り、骨を砕こうとする……。

鋭い痛みに、一瞬気が遠くなった。

意識が、どこか暗い場所に引きずり込まれる。

闇の奥で、光のない暗い二つの眼がじっと島野を見つめていた。

――切り抜けろ。

耳の奥で、突き放すような低い声が聞こえた。

「……シマノ？　どうした、大丈夫か？」

顔を上げると、心配そうなアランの視線とぶつかった。

目の焦点を合わせ、軽く肩をすくめて、にこりと笑ってみせた。

「申し訳ない。ぼくが何者なのか？　自分でもよくわからない。そうだな、〝我思うゆえに我あり《コギト・エルゴ・スム》〟。自分が存在していることだけは、どうやら確かみたいだがね」

いくらかおどけた口調でそう答えると、三人の顔に軽い笑みが浮かんだ。

「さては哲学科の留学生かい？　それじゃ、ぼくとご同類だな」

アランがニヤニヤと笑いながら言った。

「以前に大学で日本の思想の講義を聴いたことがある。〝ブシドーとは死ぬことと見つけたり〟。人生の究極の目的は死。実に深い言葉だな。尤も、ぼくは何のことだかさっぱり理解できなかったがね」

「人生の目的が死ですって？　信じられない。だから、彼はドイツ兵たち相手にあんな無茶ができたのね」

マリーが首を振り、呆れたように呟いた。

「きみが何者にしても」

アランが言った。

「存在し、かつ、興味深い人物であることは確かだよ。その他のことはゆっくり思い出すさ。時間はたっぷりあるんだ」

「……いや、アラン。残念ながら、そう悠長なことも言っていられないようだぜ」

窓際に立ったジャンが、カーテンの間から外を眺めて言った。

「ドイツ兵たちのおでましだ」

通りに面した窓に近づき、分厚いカーテンの隙間《すきま》から外の様子を窺《うかが》った。

夕闇の中、早くもヘッドライトを灯した何台ものドイツの軍用車が表通りに止まっている。エンジンをかけたままの車台から、軍服姿の銃を持った兵士たちがばらばらと降りて来た。

ドイツ兵は幾つかのグループに分かれ、通り沿いに建ち並ぶ民家の扉を片っ端から叩《たた》きはじめた。

ドアが開くと、ドイツ兵たちが有無《うむ》を言わせず家の中になだれ込んでいく。たちまち家の中から、両手を頭の後ろで組まされた人々が表通りに引きずり出されてきた。

老人や女性、幼い子供たちまで。全員が同じ扱いだ。

ドイツ兵たちが、この町で〝何か〟もしくは〝誰か〟を探しているのは明らかだった。例えば、占領地区でドイツ兵にたてついた反逆者を。

「でも、どうして……どうして彼らがここに……なぜこんなに早く……？」

マリーが青い顔で喘《あえ》ぐように呟いた。

「……つけられたのかもしれないな」

ジャンがカーテンの隙間から窓の外に目を向けたまま低い声で言った。

「だから、こいつをここに連れてくるのは反対だったんだ」

「尾行には充分気をつけていた。つけられたはずはないさ」

アランが怒ったような口調で反論した。

「ふん。それじゃ、この町の誰かが密告したんだ」

ジャンがぶっきらぼうにそう言うと、アランとマリーがいっせいに声を上げた。

「ジャン！」

「なんてことを！」

が、次の瞬間、三人はハッとしたように顔を見合わせ、同時に背後を振り返った。

「待て、シマノ！　どこに行く？」

島野は一人、窓際から離れ、部屋を横切って外に通じる扉に向かうところだった。

「自分から出て行くよ」

足を止め、肩越しに答えた。

「彼らはぼくを捕まえに来たんだろう？　老人や子供たちまで巻き込みたくはないからね。それで彼らの目的が達せられるのなら、ぼくが自分から出て行くまでだ」

「あなた、自分が何を言っているかわかっているの！」

マリーが信じられないといったように大きく目を見開いて言った。

「相手はナチスなのよ。捕まったら、どんなことになるかわからない。拷問に銃殺。強制収容所送りになるかも。いくら日本人が死の哲学を信仰しているからって……」

——死は最悪の選択だ。

また、頭の中で声が聞こえた。

——生き延びろ。心臓が動いている限り、必ず生きて帰ってくるんだ。

「死ぬつもりはないよ」

島野は一瞬顔をしかめ、頭の中の声を追い払って言った。

「事情のよくわからない日本人留学生が、お婆さんが困っているのを見かねて馬鹿なことをしただけだ。何しろ日本じゃ、無条件に目上の者を敬うよう教育されるからね。——そう言って何とか切り抜けるさ」

「でも……」

マリーが何か言いたげに、ちらりとアランに視線を向けた。

肩をすくめ、ドアノブに手を伸ばした瞬間、アランが静かな声で島野を呼び止めた。

「違うんだ、シマノ。そうじゃない。奴らはきみを捕まえにきたんじゃない。いまきみに出ていかれて困るのは、ぼくたちの方なんだ」

「ぼくの逮捕が目的じゃない？　きみたちが困る？」

振り返り、眉をひそめて尋ねた。

「いったい、どういうことだ？」

アランがひょろりとした上体を揺らすようにして島野に歩み寄った。

「よせ、アラン！　だめだ」

ジャンが窓際から鋭く声を発した。

「シマノは日本人だぜ。日本軍が中国でやっていることを思い出せ。彼らはナチス・ドイツと同類だ」

「シマノは日本軍とは関係ないさ。それに、現在《いま》フランスは日本と戦争しているわけじゃない」

アランはジャンにそう応《こた》えると、マリーを振り返って尋ねた。

「マリー、きみはどう思う？　シマノは、我らが同胞フランス人の老婆の命を救ってくれた。事情を話してもいいんじゃないかな？」

「アランの意見に賛成するわ」

マリーは大きな目でじっとアランを見つめて頷《うなず》いた。

「これで二対一だ」

「ちぇっ、お前らはいつもそうだ。勝手にするがいいさ！」

ジャンは不快げにそう呟くと、大きく舌打ちしてそっぽを向いた。

アランは改めて島野に向き直った。

優しげな茶色の瞳に強い光が浮かんでいる。

声をひそめ、だが、きっぱりとした口調でこう言った。

「ぼくたちはレジスタンスなんだ」

4

レジスタンス。

フランス語で「抵抗」を意味する言葉だ。つまり——。

島野は目を細め、部屋の中の三人の顔を順番に見渡して、慎重に口を開いた。

「きみたちは、ドイツ軍の占領に抵抗する秘密組織のメンバー……そういうことか？」

アランが三人を代表して頷いてみせた。

「政府がドイツとの降伏文書に調印したからといって、何も全フランス国民がドイツに降伏したことを意味するわけではないからね。〝内面の絶対的自由〟は近代市民社会の原則だ。いかなる政府といえども、市民の内面にまで踏み込むことはできないさ」

「だが、〝行為〟は取り締まりの対象となる?」

「そのとおりだ」

アランは諦《あきら》めたような顔で言った。

「政府間で結ばれた休戦協定によって、全フランス人はドイツに対する一切の反逆的行為を禁じられた。デモ、ストライキ、サボタージュを含む全ての抵抗運動は厳しく取り締まられ、万が一反逆的行為が認められた場合は、死刑もしくはドイツの強制収容所送りとなる」

言葉を切り、肩をすくめた。

「もちろん、今ここで、きみにすべての事情を打ち明けるわけにはいかないが、少なくともぼくたちがいま、非常に危険な立場にあることだけは理解してくれたまえ」

捕まれば拷問。銃殺。もしくは強制収容所送り。

さっきマリーはそんなことを言っていたが、あれは自分たちの話だったのだ。窓に降ろした二重の分厚いカーテンは部屋の明かりを表に漏らさないためだろう。この部屋がレジスタンスの隠れ家というわけだ。だが——。

表通りの気配に耳を澄ませて、島野は顔をしかめた。

誰何《すいか》するドイツ兵たちの声は、さっきより確実に近づいてきている。

この家のドアが叩かれるのも時間の問題だろう。いくら留守を装おうとも、あの几帳面なドイツ兵たちが相手だ。ドアを閉めたままで済ませられるとは到底思えなかった——。

「ねえ、いったい何をぐずぐずしているの？」

マリーが苛立《いらだ》ったように口を開いた。

「こうなったら、連中が来ないうちに裏口からさっさと逃げ出しましょうよ」

「それもそうだな」

アランが苦笑して言った。

「というわけだ。シマノ、申し訳ないがぼくたちはこれで失礼するよ。これ以上はきみを巻き込みたくない。多分、きみはここに残っていた方が……」

「駄目だ」

島野が言った。

「通りに見える軍用車の数と動いている兵士の数が合わない。あと、四人……いや、五人いるはずだ。彼らは裏口の見張り役と見て間違いない。罠《わな》だよ。表通りの大騒ぎはわざとだ。連中の本当の目的は、裏口からこっそり逃げ出す者たち。いま裏口から逃げ出すのは、開いた虎の口に自分から飛び込むようなものだ」

——なぜそんなことを知っているのか？

説明しながら、島野は自分でもわからなかった。

「罠って……」

マリーが目を大きく見開き、青い顔でヒステリックに叫んだ。

「それならどうするのよ！」

「切り抜けるさ」

島野は何でもないように肩をすくめてみせた。

「ここには何がある？」

改めて部屋の中を見回した。

棚の上にラジオが一台。修理用の工具が一式。壁には釣り竿《ざお》が二本、糸でまとめて立て掛けてある。机の上にはカラフルな柄のフランス製のマッチ箱が幾つか。英語の新聞、くしゃくしゃの包装紙が一束。後は――。

「銃は？」

短く尋ねた。

「レジスタンス。きみたちはさっきそう言った。銃はどこにある？　あるいは他の武器は？」

島野の問いに、三人は顔を見合わせた。

「ぼくたちは何も武装闘争を目的としているわけじゃない。だから……」

「武器はあるのか？　ないのか？」

「拳銃《けんじゅう》が一丁だけだ」

アランが渋々答えた。

「ジャンが裏のルートを使って、苦労して手に入れてくれたんだ。今のところ各隠れ家に拳銃が一丁ずつ。しかし……」

「故障しているみたいなの。引き金がひっかかっていて……」

「貸して！」

島野の指示に、弾《はじ》かれたようにマリーが動いた。

本棚から一冊の本を抜き出した。ラブレー『ガルガンチュア物語』。表紙を開けると、中から拳銃が現れた。本のページをくりぬいて隠していたらしい。

マリーから受け取った拳銃を、島野は素早く確認した。

フランス製の小型拳銃。通称〝ル・フランセ〟。

一九一四年モデル。先の欧州戦争時のものだ。

六・三五ミリ口径。引き金はダブル・アクション方式だ。

弾丸を抜き、引き金をひいた。

なるほど、銃内部で何か引っ掛かっているようだ。

棚からラジオの修理工具を取り上げ、銃の分解に取り掛かった。手を動かしながら、目を丸くして眺めている三人に声をかけた。

「他に武器になるようなものは？」

「いや、武器といえるようなものは他には何も……」

「ここにあるのは、あとは食料品くらいよ」

マリーがいくらか後ろめたそうに言った。

「〝戦争になると白い物は何でも買い溜《だ》めよ〟。パリ市民は昔からそう言うの。小麦粉にお塩、お砂糖、それに……」

「……ふいごは」

「えっ？」

「ふいご、ふいごはある？」

「台所の隅に、たしか古い足踏みふいごがあったはずだけど……」

「持って来て！」

マリーはその場に跳び上がり、そのまま台所に駆け込んだ。

銃を分解していた島野の手が、一瞬ハッとしたように止まった。微かな違和感。念のため、もう一度確認する。間違いない。だが、いったいなぜそんなことを……？

島野は目を細め、だが、すぐに手早く銃を組み上げると、顔を上げて言った。

「ジャン、この銃はきみが手に入れた。そうだな？　なら、きみが持っていてくれたまえ。これで使えるはずだ。取り扱いに注意して」

銃と弾丸を渡し、それから早口に指示を続けた。

「アラン、きみはこの部屋の扉の隙間に目張りを頼む。それから、ジャン、きみはスタンドの電球を外してガラス部分をヤスリで切り取ってくれ。そこから先は順次指示する」

「扉の隙間に目張り？」

「電球のガラスを切り取るだと？」

二人のフランス人は顔を見合わせ、目を瞬《しばた》かせて呟いた。

「シマノ？　きみはいったい何を……」

「詳しい説明は後だ」

島野は顎《あご》先を振って、次第に近づいてくるドイツ兵の気配に二人の注意を促した。

「時間がない。急げ！」

5

激しく扉を叩く音が聞こえた。

「このドアを開けろ《オッフエン・ディ・トゥア》！　いますぐにだ《イム・モメント》！」

中から返事がないとわかると、扉の向こうで叫ぶドイツ兵たちの声がいっそう大きくなった。

「馬鹿め、居留守を使っても無駄だ！」

「中にいるのはわかっているんだ。ドアを開けろ！」

「さもなければ、強制的にこっちから開けさせてもらうぞ！」

一瞬間があり、それから扉板にさっきまでとは明らかに異なる凄《すさ》まじい衝撃が加えられた。

屈強な体つきのドイツ兵が肩からドアにぶつかっている——あるいは、頑丈な軍靴で扉を蹴飛ばしている——そんな感じだ。

二回、三回……。

扉がミシミシと音を立てる。

四回。

五回目の衝撃で扉の錠が吹き飛んだ。

開いた扉から何人ものドイツ兵たちがいっせいに部屋になだれ込んでくる。

「何だ、これは？」

壁一枚隔てた物置部屋で息を潜める島野の耳に、ドイツ兵たちの戸惑った声が聞こえた。何人かは激しく咳《せ》き込んでいるようだ。

「クソッ、真っ暗で何も見えん！　誰か明かりを……」

隊長らしき男の声が聞こえた。次の瞬間――。

激しい爆発音が全てを圧して轟き、壁がびりびりと震えた。

今だ！

島野は勢い良く戸を開け、それまで身を潜めていた窮屈な物置部屋からフランス人の若者たちを外に押し出した。

転がり出た途端、三人がぎょっとした様子で足を止めた。

さっきまで自分たちがいた部屋の様相が一変していた。

爆発の衝撃で机がひっくり返り、白い煙がもうもうと立ち込めている。煙を透かして、部屋の隅に何人かのドイツ兵たちがうめきながら倒れているのが見えた……。

開き放しになった表のドアの外は大騒ぎだ。

「いったい……？」

茫然《ぼうぜん》と顔を見合わせる三人を、島野は背後から追い立てた。

「何をしている。裏口へ。急いで！」

背後に騒ぎの音が聞こえなくなるまで、ひたすら駆け続けた。

細い路地を抜け、広い通りを横切り、再び裏通りに飛び込んで、両側を高い石塀に挟まれた曲がりくねった道を抜ける。

パリで生まれ、パリで育った者しか知り得ない抜け道だ。無論、地図にも載っていない。

もう大丈夫というところまで来て、先頭を走っていたアランが足を止めた。島野を振り返り、荒い息の間から尋ねた。

「シマノ……いったい……いったいきみは何者なんだ？」

やはり石畳の上にしゃがみこんでいたジャンとマリーが同時に顔を上げ、島野に視線を向けた。二人ともまだ肩で大きく息をしている。

島野は、ほとんど息を乱していなかった。額には汗さえ浮かんでいない。

「どうやら、走るのは得意みたいだな」

島野は肩をすくめて答えた。

「もしかすると、以前、陸上競技の選手だったのかもしれない。自分じゃ覚えていないけど」

「馬鹿な……そんなこと……第一アランは……俺たちはそんなことを聞いているんじゃない！」

ジャンがまだ肩で息をしながら、怒ったように口を開いた。

「裏口にいた、あの若いドイツ兵……きみはあっと言う間に倒してしまった……」

「あれは……」

島野は顔をしかめた。

裏口から飛び出した瞬間、一人のドイツ兵と出合い頭にぶつかりそうになった。中から人が飛び出してきたことに驚き、目を丸くするドイツ兵の懐に島野は素早く飛び込んだ。若いドイツ兵は、一言も声を発することなくその場にくずおれた。気絶した相手から銃を奪おうとするアランを止め、すぐにその場を逃げ出すよう促した――。

「もしかすると、以前、ジュウジュツの選手だったのかもしれない。自分じゃ覚えていないけど」

「ジュウジュツ？」

「日本に古くから伝わるブドーだよ」

「そんなことより、あの爆発は何だ？　何が起きたんだ？」

アランが尋ねた。

「あの部屋に武器はなかった――少なくとも、爆弾の材料になるようなものは何もなかったはずだ。きみはいったい何をした？　どんな魔法を使ったんだ？」

「あれなら、魔法でも何でもないさ」

食い入るように向けられた三人の視線に、島野は困惑した顔で首筋に手をやった。

「爆発したのはきみたちが買い溜めしていたもの――小麦粉だよ」

「噓よ、小麦粉は爆発しないわ」

マリーが呆れたように口を開いた。

「小麦粉が爆発したんじゃ、危なくてパンも食べられないじゃない」

「大丈夫。パンは爆発しない」

島野はにこりと笑って言った。

「粉塵《ふんじん》爆発。聞いたことは？」

マリーが形の良い眉をひそめて首を振った。


小麦粉自体は不燃。そのままでは火を点《つ》けることさえ難しい。

だが、条件が揃えば小麦粉は爆発する。

粉塵爆発だ。

一般にはあまり知られてはいないが、粉塵爆発はさほど特殊なものではない。例えば、炭坑内に立ち込めた石炭の微粉末によって起きる炭塵爆発。命知らずの炭坑作業員たちにとっても、炭塵爆発は常に恐怖の的だ。他にも小麦粉や砂糖、コーンスターチなどを扱う穀物サイロ、あるいは金属の粉末を扱う工場でも粉塵爆発はしばしば発生し、建造物を破壊または炎上させ、過去に多くの犠牲者を出している。

粉塵爆発が起きる際の条件は〝粉塵雲〟〝酸素〟〝着火元〟の三つ。

特に、空中に浮遊する粉塵と酸素の濃度バランスが爆発の衝撃を決定する――。

部屋の空間は目測によってほぼ正確に算出できた。そこから、最も適切な粉塵濃度を割り出すのはさほど難しいことではない。

島野が三人に指示したのは、爆発の衝撃を最大にするための準備だ。

ドアの隙間に目張りをして密閉状態とした部屋。

着火元はガラスをヤスリで切り取った電球を使った。

その上で狭い物置部屋の中に潜み、息を殺していると、表扉が激しく叩かれた。

「このドアを開けろ！　中にいるのはわかっているんだ」

無言のまま合図を送り、足踏みふいごと小麦粉の袋で作った簡易の粉塵作成装置を作動させた。そして、最適濃度の小麦粉の粉塵雲を作り出したまさにその時、ドイツ兵たちが扉を蹴り開けて部屋の中になだれ込んできたのだ。

彼らは真っ暗な中、小麦粉の粉塵にまともに突っ込むことになった。何が起きたのかわからず、あるいは小麦の粉塵を思いきり吸い込んで咳き込む者たちは、部屋の明かりをつけようと手探りでスイッチを入れた――。

その瞬間、あの爆発が起きた。

派手な爆発騒ぎが起きれば、裏口を見張っている連中も表に駆けつけざるを得ない。

裏口に見張りの兵が一人残っていたのは確かに誤算だった。だが……。

考える前に体が勝手に動いた。

——誤算は常に付き物だ。むしろ、臨機応変の対応こそが重要だ。

頭の中でそんな声が聞こえたのは、若いドイツ兵を倒した後のことだった。

ドイツ兵から銃を奪おうとしたアランを止めたのも、内なる声がそうしろと命じたからだ。理由はわからない。

後は流れに任せた。

混乱を後目《しりめ》に逃げ出してからは〝パリ生まれ、パリ育ち〟のアランたちに逃走路の選択を委《ゆだ》ねて走り続けた……。


「シマノ。あなた、いったい何者なの？」

ようやく息を整えたマリーが、島野を見つめたまま再び尋ねた。

「あなたは、なぜそんなことを知っているの？　小麦粉を爆発させてあの場を脱するだなんて、普通の人には思いつかないわ」

「なぜだろう？　自分でもわからない。もしかすると、粉塵爆発のことは日本人ならみんな知っているのかもしれない」

「まさか？」

「どうかな」

島野は肩をすくめてみせた。

「ジャン、マリー、聞いてくれ」

アランが額の汗を拭《ぬぐ》い、二人の顔を交互に見て言った。

「シマノが何者なのか？　実に興味深い問題だが、この際もっと重要なことがある。シマノは同胞フランス人の老婆の命を救ってくれただけではなく、ぼくたちを絶体絶命の窮地から助け出してくれたという事実だ。その上シマノは、小麦粉爆弾でドイツ兵たちに一泡吹かせるという離れ業までやってのけた」

「おいおい、アラン、待てよ。まさか……」

「ぼくはここに提案する。今後シマノを同志として認め、ぼくたちの運動に参加するよう、彼に正式に要請することを」

「正体不明の、しかもドイツと友好国である日本人のシマノを、同志として認める？　レジスタンス運動への参加を要請するだと？」

ジャンが呆れたように目を瞬かせた。

「アラン、お前、頭がどうかしたんじゃないのか？」

「わたしはアランの意見に賛成だわ」

マリーが言った。

「わたしたちの運動に参加してくれるよう、シマノに頼みましょうよ」

「クソッ、またお得意の二対一かよ。二人で好きにしろ！」

そう吐き捨ててそっぽを向いたジャンの横顔が、たちまち怒りで赤黒く染まった。

「……というわけだ」

アランが改めて島野に向き直った。

「シマノ、ぼくたちの運動に——祖国解放に力を貸してくれないか。ぼくたちと一緒にフランスの歴史を作ろう。もちろん、これは強制じゃない。命懸けの危険な地下活動だ。参加するかどうかは、きみの自由意志だ」

アランの茶色の瞳が、まっすぐに島野の目を覗き込んだ。

「何というか……そうだな。少し……考えさせてくれないか」

島野は意外な申し出に戸惑いながら答えた。

「ひとまず今は、追っ手が来ないうちにもう少し安全な場所に移動するとしよう」

そう言って振り返った。

油断した。

首筋に重い衝撃が走り、目の前が暗くなった。

6

声が、ひどく遠くから聞こえていた。

「……なぜだ……なぜ……きみがこんなことを……」

やっとの思いで、わずかに瞼《まぶた》を押し上げた。

星明かりの中に浮かぶ、三つの黒い人影。

すぐ傍らに二人。もう一人は、少し離れて向かい合っている。

視界が朦朧《もうろう》として、焦点が定まらなかった。

――ちくしょう、思いきり殴りやがって。

島野は声に出さずに毒づき、いったん目を閉じた。同時に、自分の身体の状況を素早く点検した。

右肩を下に、横向き、体を丸めるように倒れている。

無意識に受け身を取って、地面にぶつかる際の衝撃を弱めたのだろう。

それでも、上首尾とは言い難かった。なぜなら――。

指先の感覚がなかった。手足の位置が自分で把握できない。

首筋を強く殴られると、全身への命令伝達系統が一時的に遮断される。回復には時間が必要だ。

「嘘だ、とても信じられない！」

切羽詰まった叫び声が聞こえ、島野は再び目を開けた。

「それじゃ、きみは以前から対独協力者だった――レジスタンスを監視するドイツのスパイだったと言うのか？」

何とか焦点を合わせた。

二対一で向き合う、三つの人影。

ジャンとマリーがぴったりと寄り添うように立ち、ひょろりとしたアランとは距離を置いて向かい合っている……。

いや。

そうじゃない。そう見えるのは――。

「おお、ジャン。お願いだ。その銃を下ろせ。どうかマリーを放してくれ！」

懇願するアランの声が聞こえた。

ジャンがマリーを左腕に抱え込み、彼女の頭に銃を突きつけているのだ。

マリーの首に太い腕を巻きつけたまま、ジャンがゆっくりと首を振った。

「残念だが、それはできない。アラン、きみの身柄《みがら》をドイツ軍に引き渡すまではな」

「……なぜなの？」

マリーが、頭に銃を突きつけられたまま、怯《おび》えた声で尋ねた。

「ジャン、あんなにも祖国を愛していたはずのあなたが、なぜ対独協力者《コラボ》なんかに……」

ジャンが低い声で答えた。

「きみが悪いんだ、マリー」

「きみは俺のプロポーズをはねつけた。〝今はそんな時期じゃない〟と言って。そのくせ、アランとは、いつも俺の目の前でいちゃついていた……」

「いちゃつくだなんて……そんなこと……わたしはアランの考えに賛同しているだけで、そんなつもりは少しも……」

「黙れ！　クソ、いつも、いつも二対一。俺をのけ者にしやがって！」

ジャンが、マリーの頭に強く銃口を押しつけて怒鳴った。

「アランをドイツ軍に引き渡せば、きみの心が俺に向くんじゃないかと思った。だから、俺は自分からドイツ軍に近づいたんだ。対独協力者《コラボ》としてきみたちを監視して、アランが反逆者だという確かな証拠をつけて、ドイツ軍に引き渡すつもりだった。今回の騒ぎは、良い機会だった。さっきドイツ軍があの隠れ家に来たのは、外の様子を見に行ったついでに俺が通報したからだ。俺が通報したことがバレないよう、通りに面した家の全戸点呼を依頼したんだ。全員が逮捕された後、アランだけがドイツにある強制収容所送りになるはずだった。俺とマリーは一緒に釈放される手筈《てはず》だったんだ。それなのに……」

ジャンはそう言って一瞬唇をかみ、それから小さく息を吐いて言った。

「失敗したよ。まさか、こんな結果になるとはね。このままじゃ、俺は逆にドイツ軍からお尋ね者扱いだ。だから、アラン、悪いがきみの身柄はこのままドイツ軍に引き渡させてもらう。ここに転がっている、正体不明の妙な日本人と一緒にな」

革靴の堅いつま先で島野を蹴飛ばした。

痛みに顔をしかめる。

だが、おかげで回復に必要な時間が短縮された。

全身の感覚を確認する。

大丈夫だ。

今度は完全にコントロールできる。ならば――。

島野は、その場にゆらりと立ち上がった。

ジャンがぎょっとした様子で後ずさり、距離を取った。左腕には依然《いぜん》としてマリーを抱えたままだ。

島野は体の前に両腕をだらりと下げ、一歩前に踏み出した。

ジャンは、マリーの頭に突きつけていた銃口を島野に向けた。

「寄るな！　それ以上近寄ると──」

「……撃《う》てよ」

島野は低い声でそう言い放った。

ジャンの顔にさっと怯えの色が浮かび、体ががたがたと震え出した。銃口が上下左右に揺れている。

「どうした、それじゃ狙いが定まらないぜ」

そう言って笑い、ゆらりと体を揺らすようにして、さらに一歩、足を踏み出した。

突然、ジャンが大きく口を開け、わけのわからぬ叫び声を上げた。

腕に抱えていたマリーを乱暴に突き飛ばし、両手で銃を構えて、引き金をひいた。

7

闇の中に跪《ひざまず》いた瞬間、最初に頭に浮かんだのは自分自身に対する嘲笑だった。

誤算が多すぎる。

よりにもよって、まさかこんな誤算が生じるとは──。

一瞬、意識が遠ざかり、暗闇の奥に吸い込まれそうになった。

耳元に、抑揚のない低い声が聞こえた。

……。

我に返り、訝《いぶか》しげに眉を寄せた。

地獄の使者？

冥府《めいふ》からのお迎えか？

いや、違う。

ぞっとするような、冷ややかな、この声の主は――。

魔王だ。

島野は唇の端でニヤリと笑い、上目遣いに声の主を窺い見た。

罪人と司祭を分かつ緑色の布が、いつの間にか音もなく開いていた。

一本のロウソクの明かりが男の横顔《プロフィール》を照らし出している。が、修道士のような黒いフードを目深に被《かぶ》った男の顔は、顎先を除いて、ほとんど確認できなかった。

――やれやれ、そこまでやるかね。

島野は密《ひそ》かに苦笑すると、肩をすくめ、〝告解〟を始めるべく口を開いた。

「九〇対八対二。それが、現在のフランス国内における、傍観者、対独協力者、レジスタンスの比率です」

パリから列車で一時間ほど離れた小さな田舎町。

その町の中心に位置するカトリック教会が、今回指定された待ち合わせ場所《ランデ・ブー》だった。

島野が教会の敷地に足を踏み入れると同時に、時を告げる鐘が鳴り始めた。

足を止め、鐘の音に耳を澄ませる。

鐘の音が幾つかの情報を島野に伝えていた。

〝清掃終了――「監視者、及び盗聴器が仕掛けられていないことを確認」〟

〝ランデ・ブーは予定どおり行われる〟

〝接触方法はナンバー3〟

〝合い言葉は……〟

注意深く聞く者があれば、鐘の音が普段と僅《わず》かに異なることに気づいたかもしれない。だが、鐘の音に込められた意味を理解できるのはＤ機関で訓練を受けた者たちだけだ。

Ｄ機関。

日本帝国陸軍内に極秘に作られたスパイ養成機関である。

軍の組織でありながら、陸大や陸軍士官学校出の軍人ではなく、軍隊用語で〝地方《ち ほう》人《じん》〟と呼ばれる軍外の者たち――帝大や早稲田《わせだ》慶應《けいおう》、或いは欧米の一流大学を卒業した者たちを対象として諜報《ちょうほう》員教育を行い、任務を遂行する。このため陸軍内にはＤ機関を蛇蝎《だかつ》のごとく忌み嫌い、機会があり次第何としても潰《つぶ》してやると息巻く者たちも少なくなかった。

そんな中、D機関を事実上たった一人で立ち上げ、有無を言わせぬ実績を上げることで、周囲の雑音を力ずくでねじ伏せてきた者がいる。

結城《ゆうき》中佐。

〝魔王〟の名で恐れられる男だ。

かつて自身が優秀なスパイであったと噂される結城中佐が実際にいかなる人物なのか？　D機関の一員である島野も詳しいことは知らなかった。

いや、結城中佐だけではない。D機関では、訓練生には偽名と偽の経歴が与えられ、お互いの素性がわからない仕組みになっている。〝日本人留学生、島野亮祐〟も、今回の任務のために与えられた偽の身分、偽の名前だった。

D機関では任務を命じられる場合、その状況に最も適当と思われる〝偽の経歴《カバー》〟が与えられる。ある人物の外見から経歴、人間関係、身振り、ちょっとした口癖、趣味や食べ物の好き嫌い、その他その人物になりきるためのありとあらゆる細かな膨大な情報が提示され、通常は一週間程度、時間がない時は二、三日で完全に自分のものとしなければならない――。

そのくらいは出来て当然なのだ。

D機関の選抜試験を受けた際、島野は途中何度か危うくふきだしそうになった。

試験はおよそ他に例を見ない、何とも奇妙な代物だった。

例えば試験では、世界地図を広げてサイパン島の位置を訊《き》かれたが、地図からは巧妙にサイパン島が消されていた。そのことを指摘すると、今度は広げた地図の下にどんな品物が置いてあったのかを尋ねられた。或いはまた、建物に入ってから試験会場までの歩数、及び階段の数を尋ねられたかと思うと、鏡に映した文章を数秒間読まされて完全に復唱することが要求された。

島野はそれらの質問に完全に答えてみせた。

地図で隠した机上の品は、ドイツ語の本、湯呑み茶碗《ちゃわん》、万年筆二本、マッチ、灰皿……十数品をすべて正確に数え上げ、ついでに本の書名と著者名、灰皿に残っていた吸い殻から煙草の銘柄まで当ててみせた。会場までの歩数と階段の数はもちろん、廊下の窓の数、開閉状態、さらには尋ねられる前に、ひび割れの有無まで指摘した。左右が反転した鏡文字で読まされた文章は、正確に再現した上で、逆からも復唱してみせた。

〝危うくふきだしそうになった〟のは、何も試験内容がおかしかったせいではない。

――自分以外にこんな試験をパスする人間がいるのか？

そう思ったからだ。

ふきださずに済んだのは、一緒に試験を受けている連中が、どうやら自分と〝ご同類〟――恐ろしく優秀で、かつそれ以上に強烈な自負心の持ち主ばかりだと気づいたためだ。

その後、島野は彼らとともにD機関で訓練を受けた。例えば爆薬や無電の扱い方。飛行機の操縦法。D機関では高名な大学教授による医学、薬学、心理学、物理学、生物学などの講義がある一方、刑務所から連れてこられた名うての掏摸《すり》師や金庫破りの名人たちから実技の指導を受けた。手品師による品物のすり替え、ダンス、撞球《どうきゅう》、変装技術。変わったところではプロのジゴロによる女性の口説き方の実演までが行われた。

激しい武術の訓練が終わった後、冷たい水の中を着衣のまま泳がされ、夜通し仮眠も取らずに移動した後で、前日に丸暗記させられた複雑極まりない暗号を自然な言語のように使いこなさねばならなかった。完全な暗闇の中、指先の感覚だけをたよりに各国の軍隊が使用している拳銃を分解し、再び使用可能な状態に組み立てることを要求された。

訓練生たちはみな、顔色一つ変えることなくそれらの訓練をやってのけた。実際に容易であったわけではあるまい。肉体と精神の極限を試されながら、

――このくらいのことは自分に出来て当然だ。

そう思っているのは、何も島野一人ではなかったというだけのことだ。

鐘が鳴り終わるのを待って、島野は教会の扉を開けて中に入った。

明るい外の陽光に慣れた目には、教会の中はひどく暗く感じられる。が、島野はすぐに、事前に覆いをつけ、暗さに慣らしておいた左目に視野を切り替えた。

左手の壁沿いに箱状の小部屋が見えた。

告解室。

カトリックで《聖なる囲い》と呼ばれる特別な場所だ。そこで話された内容は決して外に漏れることはない――。

〝接触方法はナンバー3〟

指示を思い出し、辺りに人の気配がないことを確認した上で、島野は告解室のカーテンの隙間から素早く体を中に滑り込ませた。

闇の中に跪いた瞬間、頭に浮かんだのは自分自身に対する嘲笑だった。

田舎町の小さな駅で列車を降りてすぐ、島野は三人連れの見知らぬフランス人の老婆に声をかけられた。フランス語がわからないふりをして振り切ろうとしたが、老婆たちはなかなか島野を放してくれず、思いの外時間を取られた。何とか老婆たちと別れた後も、まさか走るわけにもいかないので――田舎町で道を走る外国人は目立ち過ぎる――あやうく指定された時間に遅れそうになった。

とんだ誤算だ。

よりにもよって、ここに来てまさかこんなトラブルが生じるとは思いもよらず、指定された時間どおりに到着できた時は、さすがにほっと息をついた。安堵《あんど》の余り、一瞬意識が暗闇の奥に吸い込まれそうになったほどだ。

――フランス人の婆さんは鬼門だな。かかわると、誤算の要素が多すぎる。

報告を続けながら、島野はそう考えて苦笑した。

まさか今日、ここに魔王が――結城中佐自身が現れるとは思わなかった（これまで島野は〝地獄の使者〟、もしくは〝冥府からのお迎え〟の暗号名《コードネーム》で呼ばれる地元フランス人の通信員と接触していたのだ）。

島野の任務自体には誤算はなかった。

否、そうではない。

起こり得る誤算はすべて計算した上で、任務は遂行されたのだ。例えば――。

老婆に言葉を教えたのは島野だった。

――くそナチ！

――変態ファシスト！

――ヒトラーなんか地獄へ堕ちるがいい！

ドイツ兵たちに自宅を接収され、憤慨している老婆の耳元に、島野は反ナチス的言葉を吹き込んだ。その上で老婆に暗示をかけ、ドイツ兵たちのもとに送り込んだのだ。危うく射殺されそうになったところで老婆を助けたのは無論、〝事情のよくわからない日本人留学生が、お婆さんが困っているのを助けた〟、或いは〝日本では無条件に目上の者を敬うように教育されているから〟といった理由ではない。

殺させるわけにはいかなかった。

人の死は常に周囲の注目を集める。スパイにとっては、いかなる場合も目立つことを避けるのが鉄則だ。

それに、今回の任務の目的は別にあった。

島野の目的は最初からアランたちだったのだ。

アランが対独レジスタンス運動に関わっている——しかも、彼が指導的立場にあることは事前の調査で判明済みだった。老婆を助けることで彼らの信頼を勝ち得、彼らの中に潜り込むことで占領下のフランスに於《お》ける対独レジスタンスの実態を確認、把握すること——それこそが今回の任務の真の目的だった。

ドイツ兵に連れ去られそうになった島野を、アランたちが救出に入ったのは予想どおり（彼らがあの時点で介入しなければ別のプランを実行したまでだ）。混乱のさ中、頭を殴られて一時的に記憶を失ったのは、誤算と言えば誤算と言えよう。島野はドイツ兵にうまく殴られることで最小限の怪我で済ますつもりだった。ところが、不意に腕を引っ張られたので、予定した以上に頭を強く殴られた。おかげで、一時的に記憶を失うはめになったのだが――。

それも〝起こり得る誤算〟として計算された範囲内だ。

人間の記憶は外的ショックによってしばしば混乱を来す。

頭を強く打つ。或いは、薬物や電気的刺激等によって。

そして、それらはいずれも、スパイが敵に捕まり、拷問を受けた場合、容易に想定される事態なのだ。

だからこそD機関では、そのような場合でも任務に必要な情報が混乱しないよう訓練を受ける。

――何も難しいことではない。

訓練中、結城中佐は半信半疑の顔つきの訓練生に説明した。

ショックにより一時的に混乱するのは表層レベルの記憶だけだ。任務に必要な情報を無意識のレベルに刷り込む方法を体得すれば良い。

訓練生たちの間からは、苦笑も反発も起きなかった。

――そのくらいのことは自分たちに出来ないはずがない。

D機関に集められたのは、そう考えるほど自負心の強い者たちばかりだったのだ。

背後からジャンに首筋を思いきり殴られたあの時——。

一瞬目の前が暗くなり、気がついた時には地面に転がっていた。

だが、おかげで全部思い出した。

自分が何者なのか。

何をなすべきなのかも。

ジャンに硬い革靴の先で蹴られた島野は、自分の身体を完全にコントロールできることを確かめると、ゆらりと立ち上がった。そして——。

ジャンの怯え切った顔を思い出し、島野は思わずニヤリと笑った。

気の毒に。

さぞや恐かったことだろう。

ジャンの目に島野の姿は真っ黒な化け物に見えたはずだ。何しろあの時、島野は結城中佐の気配を真似たのだから。

「どうした、それじゃ狙いが定まらないぜ」

島野はそう言って、震える手で銃を構えるジャンに向かってさらに一歩、足を踏み出した。

ジャンはわけのわからぬ叫び声を上げながら、腕に抱えていたマリーを乱暴に突き飛ばし、両手で銃を構えて、引き金を引いた。

その瞬間、島野は一気に距離を詰め、ジャンの腕を捕らえて地面に叩きつけた。

「アラン、マリー。銃を拾って！　ジャンを取り押さえるんだ！」

島野の指示に、二人は弾かれたようにその場に跳び上がった。彼らは言われるまま、ジャンが取り落とした銃を拾い上げ、島野に代わって気絶しているジャンを取り押さえた。

「シマノ！　どこだ！」

二人が我に返り、振り返った時には、島野は彼らの視界から姿を消していた。

背後でアランが叫ぶ声が聞こえたが、それもすぐに聞こえなくなった。

あの後、アランとマリーの間で何が話し合われたのか。島野は容易に想像でき、おかしくてならなかった。

「日本人はやっぱり死ぬことが恐くないんだわ」

呆れたように首を振るマリーの様子が目に見えるようだ。

「銃を構えた相手に立ち向かっていくだなんて……」

「ブシドーとは死ぬことと見つけたり」

アランがきっと訳知り顔で解説することだろう。

「日本人にとって、生の究極の目的は死ぬことなのさ」

とんだ誤解だった。

島野の目的はむしろ、あの場所で誰も死なせないことだったのだ。ジャンはマリーの首に太い腕をきつく巻きつけていた。何かの拍子に逆上したジャンが、失恋相手の首をへし折る可能性も充分あった。

——死者さえ出さなければ、アランが後の事態を収めることができる。

そう考えた島野としてはまず、何としてもマリーをジャンから解放する必要があった。

そのために、結城中佐の気配を借りた。

怯えたジャンは必ず島野に銃を向ける。狙いを定めるためには、両手で構えるしかない。自分の身を守るために、ジャンはマリーを手放さざるを得ない。とっさにそこまで計算した。それに——。

そもそも撃たれるリスクなどなかったのだ。

「故障しているみたいなの。引き金がひっかかっていて……」

本の中に隠していた拳銃を渡す際、マリーは島野にそう言った。

島野は受け取った拳銃を分解、修理した。記憶は戻っていなかったが、手が覚えていた（それが任務に必要な情報や技術を無意識のレベルに蓄えるということだ）。

D機関では、日本軍のものだけでなく他国の軍隊で使用されているすべての銃器を、暗闇の中、指先の感覚だけを使って分解し、再び組み上げる訓練が行われる。或いは、銃声を聞いただけで銃の種類を特定し、該当する銃に装塡《そうてん》可能な弾数、連射の有無、その他の長所短所をとっさに判断できるよう叩き込まれる。

一九一四年製。フランスの古い拳銃など、手を背後に回してでも組み立て可能だ。

修理の途中、島野はふと妙な違和感を覚えた。

巧妙に偽装されてはいたが、銃の故障は人為的なものだった。わざと使えなくしている。だとすれば——。

「(この銃は)ジャンが苦労して手に入れてくれたんだ」

アランはそう言った。

ジャンはわざと故障させた銃をレジスタンス組織に提供したことになる。なぜか？

理由を探るために、島野は修理した銃を敢《あ》えてジャンに渡した。

不思議なもので、銃を手にした者は必ず銃を使いたがる。逆に言えば、行動のパターンが単調になる。島野は、銃を渡すことでジャンの行動可能性を限定したのだ。

その上で、一発目は空包を仕込んだ。

つまり、修理して使えるようになった——少なくとも、そう思いこまされた拳銃を渡された時点で、その後のジャンの行動はほぼ予測可能だった。

あとはジャンが自分から正体を現すのを、待っていれば良かった。

裏切り者としての正体を晒《さら》したジャンをどうするかは、レジスタンスを指導するアランの腕の見せ所だろう。だが——。

「現時点で、フランス国内のレジスタンスは学生を中心に偶発的に発生しているだけです。彼らに対して組織的に武器が提供されている事実は認められません」

島野は低い声で〝告解〟を続けた。

九〇対八対二。

島野が割り出した比率が示す通り、現時点でドイツ占領下におけるレジスタンスは圧倒的少数派だ。このままでは、組織的な活動を維持することは難しい。組織の活動が停滞すれば、例えばジャンのような裏切り者が出てくる可能性も高くなる。

万が一、今後フランス国内でレジスタンス活動が盛り上がる可能性があるとすれば、彼らを束《つか》ねる絶対的かつ象徴的な存在が出て来た場合だけだ。国内のヴィシー政府はいまや完全にドイツの傀儡《かいらい》だ。その中にレジスタンスを束ねるに足る人物が残っているとは思えない。

「可能性としては、例えば、そう——」

島野は一瞬言葉を切り、目を細めて、隠れ家でばらばらに目にしたものを頭の中に正確に思い浮かべた。

棚の上にラジオが一台。修理用の工具が一式。壁に立て掛けられた二本の釣り竿。机の上にはカラフルな柄のマッチ箱が幾つか。英語の新聞。くしゃくしゃの包装紙が一束――。

カラフルなマッチ箱は三色旗製作用だろう。

わざとくしゃくしゃにした包装紙は通信用とみて間違いあるまい。荷物を使い古された紙で包んで送れば、中身は調べられても、包み紙まで調べられることはない。あの包装紙にはあぶり出しか、もしくは簡単な乱数表を使った初歩的な暗号が印刷されていたはずだ。スタンプは海外からの荷物であることを示していた。英語の新聞。ラジオはBBCに周波数が合わせてあった。それに――。

極めつけは二本の釣り竿《ドゥー・ゴール》だ。

いい、い、い、い、い、

シャルル・ド・ゴールはフランス政府が呆気なくドイツに降伏した際、英国に亡命した将軍の名前だ。

野心家。

傲岸不遜《ごうがんふそん》。

強情一徹。

人を人とも思わないファシスト。

戦争前は国内外を問わずひどく評判の悪い人物だったが、祖国の敗戦占領という緊急時には、或いは彼のようなあくの強い人物こそが求められるのかもしれない——。

島野が行うレジスタンス分析を、結城中佐はあたかも罪人の告解を受ける敬虔《けいけん》な修道士のごとき無関心な態度で聞いていた。

「それで、どうします？　もう少し続けますか」

一通り〝告解〟を終えた島野は、のんびりした口調で尋ねた。結城中佐は横顔を向けたまま、ほとんど口を動かさず、低い冷ややかな声で答えた。

「いったん帰国しろ。次の白山丸《はくさんまる》が最終帰還船になる」

最終帰還船だと？

馬鹿な……。

島野は唖然《あぜん》として、首を振った。

意味するところは明白だった。

日本政府は近々フランスと戦争状態に入る。

欧州で快進撃を続けるドイツ軍の成果に目を奪われた日本政府は、ドイツとの軍事同盟を結ぶつもりなのだ。〝バスに乗り遅れるな〟。日本の軍人たちの間でそんな言葉が大っぴらに囁《ささや》かれている。その情報は以前から聞いていたが——。

だとすれば、それこそが今回の任務における最大の誤算だった。

なるほどドイツは電撃戦によって欧州最強の陸軍国と言われたフランスを瞬《また》く間に降《くだ》した。だが、それは専ら、兵器や戦略の近代化を無視し、塹壕《ざんごう》戦しか想定していなかったフランス軍側のミスによるものだ。逆に、ナチス・ドイツが、この先英国と争われるはずの制海、制空戦について明確なビジョンを持っているとは思えない。

先日そう報告を上げたばかりだ。それなのに、なぜ——。

目を細めた島野は、結城中佐がわざわざ自分で姿を現した理由をようやく理解した。

報告は無視された。

或いは陸軍内で握り潰《つぶ》されたのか？

日本政府は、島野が上げた情報の当然の帰結に反して、ドイツとの軍事同盟を結ぶことを決定したのだ。その事実について結城中佐がどう考えているのか？　たとえ深く引き下げられたフードがなくても、島野には想像することさえ不可能だった。

わかっていることが一つ。

〝日本人留学生、島野亮祐〟の仮面は、もはや使えないということだ。

最終帰還船が出た後も留学生が残っているのは不自然だ。珍しい存在として一挙手一投足を注目されていたのでは、スパイ任務など成立するはずがない。

任務終了。

結城中佐の登場は、島野にそのことを告げるためのものだった——。

ふと、脳裏に気持ちの良い微笑を浮かべたアランの茶色の目が思い浮かび、同時に微かに残念に思っている自分に気づいた。記憶を失っている間、島野は彼らの仲間として行動した。同志になってくれという正式な申し出に戸惑った。そのことが楽しく思い起こされた……。

低い声に、我に返った。

——残ってもいいぞ。

思わず苦笑した。

考えが表情に出たとは思えない。だが、結城中佐が相手では、ささいな目の動き一つで正確に考えを読み取られることを失念していた。

そう、もしかすると、アランたちは歴史に名を刻むことになるかもしれない。歴史を変えるのは常に彼らのような素人の行動なのだ。

信頼。友情。仲間。祖国解放。

いずれも甘美な響きを持った見事な宣伝文句《プロパガンダ》だ。その言葉一つのために多くの人々が喜んで命を投げ出すことだろう。今も、昔も、これから先も。だが——。

D機関員は、結城中佐によって選び出され、厳しい訓練をくぐり抜けた選良《エリート》——プロのスパイだ。どんな言葉にもとらわれてはならなかった。ましてや、そんなもののために命を投げ出すなど言語道断だった。

生き延びること。

生きて帰って報告すること。

それがD機関員に課せられた使命なのだ。

記憶を取り戻した今となっては、これ以上、素人さんたちと一緒に、スパイごっこをする気にはなれなかった。

「帰りますよ」

島野は肩をすくめて言った。

「但し、次はもう少し骨のある任務をお願いします」

失楽園

1

欧州からアジアに旅する者たちは決まってこう言い交わすという。

——次はラッフルズ・ホテルでお会いしましょう。

ラッフルズ・ホテル。

〝東洋の真珠〟、あるいは〝神秘の楽園〟と称される英領シンガポールの中でも最高級のヨーロッパ式ホテルだ。白を基調とし、後期ビクトリア様式及びルネサンス様式を取り入れた重厚かつ華麗な建築。何年か前にイギリス皇太子がこのホテルを訪れ、ボール・ルームでダンスに興じたことが伝えられてからは「スエズ運河以東、最高の宿泊施設」の名をほしいままにしている。

そのラッフルズ・ホテル内に設けられたロング・バー——即ち〝楽園の中の楽園〟のカウンターに向かいながら、米海軍士官マイケル・キャンベルは、だが、この世の終わりのような暗い顔でため息をついた。

領事館付武官として赴任して半年。

キャンベルにとって、これまでシンガポールはまさに楽園だった。

噂には聞いていたが、シンガポールは彼が見てきた世界のどの都市と比べても、ずば抜けて美しい街だった。

市街中心部にそびえる聖アンドリュース教会の華麗な尖塔《せんとう》。そこから白い石造りの諸官庁、さらには最高裁判所のドームといった建物が、よく手入れの行き届いた緑の丘の上に規則正しく立ち並んでいる。街の中心からのびる幾筋ものまっすぐな広い道路。道路の脇には目にも鮮やかな緑地が広がり、ゴルフやテニス、クリケットなどのスポーツ施設になっている。公園や子供向けの遊園地も至るところに見られた。

熱帯の蒸し暑い気候にもかかわらず、男たちは勤務時間中はずっとカラーとネクタイ付きの麻の白いスーツを手放さない。夜にはディナージャケットか、さもなければ丈の短い会食用正装《メス・ジャケット》。額に汗を浮かべ、悪態をついてはいたが、彼らが植民地特有の冒険の残り香、騒音、ゆとりのある生活、おまけに一攫《いっかく》千金の機会さえあるこの街に深い愛着を感じているのは明らかだった。

大英帝国は、赤道直下、マラッカ海峡を正面に望むダイヤモンド形をしたこの島の植民地化《コロニアライズ》に、他に例を見ないほどの成功を収めていたのである。

尤《もっと》も、若き米国軍人キャンベルにとって楽園とは、英国人が苦心惨憺《さんたん》作り上げた特異な植民地文化や、旅人を差し招くマラッカ海峡の美しい海のきらめきや、道端に咲くオーキッドの美しい花々といったものではなかった——そもそも、そんなものが彼の目に入っていたかどうかは怪しいものだ。

赴任直後、キャンベルはホテルのロビーで一人の若い女性を見かけて雷に打たれたような衝撃を受けた。

すらりとした立ち姿。艶《つや》のある黒髪は腰まで波を打って流れ、小麦色の肌が透きとおるように光っている。形の良い瓜実顔《うりざね》にアーモンド形の黒目がちの大きな瞳《ひとみ》。にこりと笑うと、綺麗《きれい》に揃った真珠のような小さな歯並びが見えた……。

同僚に肘《ひじ》で脇を小突かれるまで、我を忘れて彼女を見つめていた。

そして我に返った瞬間、キャンベルは猛烈な勢いで同僚を問いただした。

彼女は何者なのか？　どこに住んでいる？　両親は誰で、どうやったら彼女と知り合いになれるのか？

呆気《あっけ》に取られた顔の同僚からようやく聞き出した彼女の名は、ジュリア・オルセン。

今年十八歳。鉱山技師であるデンマーク人の父親とシャム人の母親の間に生まれた〝女神〟だという。

「彼女は……そう、まだ結婚していないはずだ」

その言葉を聞いた瞬間、キャンベルの目の前に楽園が広がった。

それからは、恋する者の厚かましさと、アメリカ人特有の無神経さを駆使して、キャンベルは彼女に猛然と言い寄った。一方で、混血であることを理由にジュリアの出席を快しとしない白人クラブなど、毅然《きぜん》として脱会した。

最初はうさん臭く思われていたようだ。が、結局ジュリア本人も、彼女の頑固な父親もまた、キャンベルの愛情、もしくは熱意に押し切られるようにして交際を認めてくれた（母親は彼女が子供のころに亡くなっていた）。

おそらくキャンベル自身、背が高く、ハンサムで、魅力的な青い目をした、人好きのする好青年であり、加えて彼が南国の日差しによく映える米海軍の白い士官服を着ていた、といったこともいくらか影響したのだろう。

楽園と呼ばれるこの街で二人は逢瀬《デート》を重ねた。

近いうちに結婚しよう。

最近ではそんなことまで言い交わしていたのだ。それなのに——。

キャンベルは首を振り、もう一度深いため息をついた。

昨夜、ラッフルズ・ホテルに滞在していた一人の英国人実業家が死体で発見された。その犯人として、あろうことか、ジュリアが警察に逮捕されたのだ。

問題は、ジュリアが殺害の事実を認めているということであった。

2

事件が起きたのは昨夜遅く。

人気《ひとけ》の消えた館内を巡回していたホテルの執事《バトラー》が、〝パームコート〟と呼ばれる中庭の暗い一隅、生い茂る南洋の植物の間に横たわる男の人影を見つけた。

最初は、酔っ払って寝ているのだと思ったという。

ラッフルズ・ホテルは、英国人上流階級を主とした客層の良さで知られている。が、時には、深夜客室を抜け出してパームコートで酒を飲み、そのまま酔い潰《つぶ》れるお客も、間々《まま》存在した。バトラーの役目の一つは、そのみっともない事実が外部に漏れないように手配することだ。

行儀の悪いお客をこっそりと部屋に連れ帰らなければならない。

茂みをかき分けて人影に近づいたバトラーは、だが、そこで異変に気づいた。

酔っ払い特有の荒い呼吸音が聞こえなかった。脈を確かめようと手を伸ばすと、指先に触れた皮膚の感触が生きている者のそれと明らかに違っていた。

そこから先の彼の行動は、実はあまり褒《ほ》められたものではない。

男が死んでいることを確かめると、バトラーは死体を担いで最寄りの空き部屋に運び込み、ベッドの上に寝かせた。その後で、おもむろに警察に連絡したのだ。

到着した警察から理由を尋ねられた際、年配のバトラーは平然とした顔でこう答えた。

「第一に、中庭に死体などあっては他のお客様にご迷惑でございます。第二に、亡くなられた方もお客様である以上、中庭などに寝かせておくわけにはまいりません」

死んでいた男は、英国人実業家ジョセフ・ブラント。

ラッフルズ・ホテルの宿泊客であった。

本国でのブラントの出身階級は高くない。彼は若くしてマレー半島に渡り、財を築き上げたいわゆる〝成り上がり者〟だ。広いゴム園を所有し、錫《すず》鉱山の大株主。五十四歳。最近はしばしばシンガポールを訪れ、その際は必ずラッフルズ・ホテルを利用。酒を飲むと、誰彼かまわずからむ癖があり、常連客からは敬遠されていた。

死因は頸髄《けいずい》損傷。首の骨が折れていた。

警察の調べで、ブラントの死体が見つかったちょうど真上辺り、二階の回廊の手摺《てす》り付近に飲みかけのウイスキーの瓶とグラスが見つかった。昨夜、手摺りに腰を掛けて一人で酒を飲んでいたブラントは、酔ってバランスを崩し、二階から落下。首の骨を折ったのだろう。

酔っ払ったあげくの転落死。

警察が事故死の判断を下しかけたその時、ジュリア・オルセンが父親に付き添われて警察署に出頭してきた。

「どうやら娘が人を殺したらしい」

デンマーク人の父親は、応対に出た警察官にそう説明した。そこから先は、父親に促されたジュリアが自分で話した——。

昨夜はラッフルズ・ホテルに宿泊している友人(同い年の女性)を訪れた。久しぶりの対面に話がはずみ、気がつくと予定より遅い時間になっていた。

廊下の明かりはすでに消え、人気《ひとけ》もなかった。が、ラッフルズ・ホテルは初めて訪れる場所ではない。エントランスに向かおうと足早に廊下を進み、パームコートに面した二階の回廊を歩いていると、柱の陰の暗闇から突然手が伸びてきて腕をつかまれた。

慌てて腕を振り払って、その場を逃げ出した。背後で悲鳴のようなものが聞こえた気もするが、混乱していてよく覚えていない。

朝になって、ブラント氏が亡くなったことを聞いた。

多分、あの時わたしが腕を振り払ったせいで、彼は転落死したのだと思う。自首して、罪を償いたい——。

ジュリアが自分でそう言っているのだ。事実は争いようもない。

キャンベルは知らせを聞いたその足で警察署に赴き、ジュリアに会わせてくれるよう懸命に頼み込んだ。が、調書を取り終えるまでは誰にも会わせることは出来ないと、けんもほろろに追い返されて来たのだ。

バー・カウンターに両肘をつき、頭を抱え込んだ。

ジュリアと最後に会った時のことが、いやでも思い出された。

黄昏時《たそがれ》、辺り一面が夢のような黄金《こがね》色に包まれた美しい庭園を二人で散策しながら、ジュリアはふと顔を曇らせ、こんなことを呟《つぶや》いた。

「わたしは時々とても不安になる……この楽園のように美しい光景も、明日にはもうなくなってしまうんじゃないか。この幸福も、ほんの今日だけのものじゃないかって思って、何だか泣き出しそうになる……」

その時キャンベルは組んだ腕に力を込め、ぼくがこの楽園を守る、きっときみを幸せにすると約束した。あれは、そう、わずか二日前のことだ。それなのに——。

キャンベルは頭を抱えたまま、ゆるゆると首を振った。

自首したとは言え、ジュリアのせいで英国人が一人死んだのだ。いくら腕の良い弁護士をつけたとしても、有罪判決は免れ得ない。

〝殺人または過失致死罪で、一年から三年の実刑〟

そんな無責任な噂が早くも流れ出している——。

キャンベルは、シンガポールに赴任したばかりのころ、視察に行ったチャンギ刑務所の光景を思い出して絶望的な呻《うめ》き声を漏らした。

二重の高いコンクリート塀の内側に並んだ三階建ての獄舎の棟々。鉄格子付きの窓。厳重に監視された独房内の素っ気ない鉄製のベッド。黄ばんだシーツは備品の支給が充分ではないことをうかがわせた。画一的な囚人服。整列、点呼。不潔な環境。作業の合間の粗末な食事……。

あんな場所に、ジュリアが一年も、いや、たとえ半年でも閉じ込められるのかと考えただけで気が狂いそうだった。

視界の隅に、不意にグラスが差し出された。

「よろしければ、こちらのカクテルをお試し頂けないでしょうか?」

顔を上げると、カウンターごしに微笑みかけている男と目が合った。

3

黒い髪をきれいになでつけ、一番上まできっちりとボタンを留めたお仕着せの白い制服。襟元には黒い蝶《ちょう》ネクタイが覗いている。

ラッフルズ・ホテルのロング・バーに雇われたバーテンダーだ。

キャンベルは眉《まゆ》を寄せた。

注文のために声をかけることはあっても、バーテンダーの方から声をかけられたのは初めてだった。

ラッフルズ・ホテルでは様々な国籍の者が働いている。二メートル近い長身のインド人ドアマン。小柄なマレー人の客室係。厨房《ちゅうぼう》スタッフには中国系の者が多いと聞いたことがある。但《ただ》し、日英同盟が破棄されて以来、日本人だけは絶対に雇わないことにしている、という話だ。

声をかけてきたバーテンダーは、おそらく中国人だろう。東洋人特有の切れ長の目。改めて見れば、思いのほか端整な顔立ちをしている。

見覚えはなかったが、そもそもホテルの従業員の顔など気にしたこともない。カウンターの上に差し出されたカクテルグラスと、不思議な微笑を浮かべたバーテンダーの顔とを何度か見比べた後で、キャンベルはようやく事情を察した。

ホテルのバー・カウンターに腰を下ろしながら、まだ一杯の酒も注文していなかった。バーテンダーがしびれを切らせて注文を促しに来たに違いない。

「すまない。そうだな、それじゃドライ・マティーニを。オリーブは抜きで……」

「いえ、そうではございません。注文を伺いにまいったわけではないのです」

バーテンダーはにこりと笑うと、綺麗なイギリス英語《ブリティッシュ・イングリッシュ》で言った。

「このカクテルについて、キャンベル様のご意見を頂きたいと思いまして」

「カクテルについての意見？　私に、か」

一瞬呆気に取られたキャンベルは、だが、すぐに思い当たった。

数日前、このバーで、ジュリア相手にカクテルの蘊蓄《うんちく》をあれこれ語った。あの時の会話を小耳に挟んだバーテンダーに、カクテルに詳しい客だと思われたのだろう。

キャンベルは唇の端を歪《ゆが》めて苦笑し、カウンターの上に置かれたグラスに目を移した。

タンブラーと呼ばれるロング・ドリンク用の背高のグラスに、シンガポールの美しい夕日を思わせる赤いカクテルが注がれていた。添え物はチェリー。表面が微《かす》かに泡立っているところを見るとソーダを加えているらしい。

バーテンダーに促されて、キャンベルはグラスに口をつけた。

「いかがでございましょう？」

「悪くはない」

キャンベルはグラスをカウンターに戻して言った。

「だが、少し甘すぎる。二杯目は頼めないな」

「やはり、そうでございますか」

バーテンダーは肩を落とし、小さくため息をついた。

「実は先日、ある年配のお客様から〝以前滞在した際、このバーで飲んだ〈シンガポール・スリング〉という名前のカクテルが忘れられない。あれを作ってくれ〟というリクエストを頂いたのでございます。ところが、当バーには生憎《あいにく》、当時のレシピが残っておりませんでして……。お客様方からあれこれご意見をお伺いして試しているのですが、なかなかうまくいかないものでございます」

首を振ってそう言うと、顔を上げ、阿《おもね》るように尋ねた。

「よろしければ、もう一杯、別のレシピをお試し頂けますでしょうか？」

それから何杯か無料でカクテルを提供され、求められるまま意見を言った。

考え方《コンセプト》を根本から見直した方がいい。ベースとなるドライジンを変えよう。チェリーブランデーとの相性がよくないな。味が口の中で喧嘩《けんか》しているみたいだ。割りものも、レモンジュースばかりにこだわらず、せっかくなら南国の果物、パイナップルやマンゴーをもっと試してみては？　いや、飾りにバナナはどうかと思う。砂糖の味が表に出ちゃ台なしだ。うまく隠して。まだソーダがきつすぎる。加えるタイミングが重要だ。そうだな、いっそ順番を逆にしてみれば――。

知らぬ間に、いくらか酔いがまわっていた。

キャンベルは周囲を見回し、ふと気がついて呟いた。

「……今日は、ばかに空《す》いているな」

いつもなら曜日や時間に関係なく大勢のお客で賑《にぎ》わうラッフルズ・ホテルの広いバーが、今日にかぎって閑散としている。客は片手で数えられるほどだった。

「あんなことがあったばかりでございますので……」

バーテンダーが目を伏せて発したその言葉で、キャンベルはハッと我に返った。胸に突き刺さるような痛みを覚え、だが、お陰で現実と正面から向き合う気になった。

今この瞬間、自分にはうだうだと思い悩む以外に、ジュリアのためにやるべきことがあるはずだ。例えば、裁判になった場合、ジュリアに有利な情報を集めること。陪審員の心証を良くする情報があれば、無罪は無理にしても、少しでも刑期を短くすることができる――。

「昨夜このホテルで死んだ男について教えてくれないか」

キャンベルはカウンターから身を乗り出すようにして、バーテンダーに尋ねた。

「亡くなったブラントは何日も前からこのホテルに滞在していたと聞いた。このバーにもよく来ていたんじゃないのか？」

「それはもう、ええ、毎日のようにいらしていました」

バーテンダーは錫で出来た銀色のカクテルグラスを磨きながら頷《うなず》いた。グラスを顔の前に掲げ、表面に汚れが残っていないか入念に確認している。

「彼がどんな人物だったのか、何でもいい、気づいたことを教えてくれ」

「そうでございますねえ……」

グラスを磨く手を止め、辺りを見回した。眉をひそめ、小声で言った。

「ここだけの話、バーではあまり評判の良い方ではありませんでした。何しろシャイな方でございまして……」

「恥ずかしがり屋《シャイ》?」

ある一定の行為に関してですが、とバーテンダーはカウンターの上に文字を書く身振りをしてみせた。

サイン嫌い《ペンシル・シャイ》。

なるほど、そういうことか。

キャンベルは顔をしかめた。

ここシンガポールにおいて植民地宗主国である英国人は、特権階級である白人社会の中でも一種独特な立場を築いている。例えば彼らは普段、いっさい現金を持ち歩かない。食事も買い物も、すべてサイン一つで済ませることができるのだ(ちなみにアメリカ人であるキャンベルは、カクテル一杯飲むにも現金払いを要求された)。

そのシンガポール英国人社会において〝サイン嫌い《ペンシル・シャイ》〟と呼ばれることは最大の恥辱だ。〝成り上がり者〟のブラントは、周囲の評判より目先の実利を優先する人物であったらしい。

「お酒が入ると特にその傾向がお強くなり、時にはいささか悪ふざけがすぎることもございました」

なるほど、とキャンベルは頷き、すぐに質問を続けた。

「他にはどうだ。彼は酒を飲んでどんなことを喋《しゃべ》っていた？　誰かの悪口を言っていた、あるいは誰かと喧嘩をしていたというようなことはなかったか？」

死んだ男に普段から敵がいれば、そしてもしそれがこの土地の有力者であれば、裁判で有利に働く——そう思って尋ねた質問だ。

「お酒が入ると、みなさん口が軽くなりますからね」

バーテンダーは軽く苦笑して言った。

「ブラントさんは——何と申しますか、一風変わった楽天的平和主義者でございました。昨日などは、逆にそのことで口論になったくらいでございまして……」

笑顔で言いかけて、急にハッとした様子で慌てて口を閉ざした。お客のことを喋り過ぎた。顔にそう書いてあった。が、ここで諦《あきら》めるわけにはいかなかった。

「教えてくれ、ブラント氏は昨日、いったい誰と口論したんだ？」

身を乗り出して尋ねると、バーテンダーは申し訳なさそうに肩をすくめた。

「申し訳ございません。わたくしの口からは、これ以上はちょっと……」

「頼む。そこを何とか」

困惑した表情を浮かべたバーテンダーは、結局キャンベルの真剣さに根負けした形で小声でこう付け足した。

「昨日のご事情をお知りになりたいのでございましたら、あちらの席にいらっしゃるお客様にお尋ねくださいませ」

振り返り、バーテンダーの視線を追った。

壁際のテーブル席で、でっぷりとよく太った、鷲《わし》鼻、赤ら顔の老人が一人でグラスを傾けていた。このバーで何度か見かけたことがある。シンガポールで余生を送る退役軍人。名前は確か——。

「トムソン准将。元英国海軍軍人でいらっしゃいます」

バーテンダーが耳打ちしてくれた。

死んだブラントと昨日も一緒に飲んでいた。となれば、話を聞いてみるしかあるまい。

「バーボン……いや、スコッチを二杯。銘柄はまかせる。むこうの席にもってきてくれ」

「かしこまりました」

バーテンダーの返事を背中に聞きながら、キャンベルは椅子《いす》から腰をあげ、トムソン准将のテーブルへと移動した。

4

乾杯を持ちかけると、トムソン准将はすぐに打ち解けた態度になった。

「大英帝国に」

一息にグラスを干し、ニヤリと笑って呟いた。

「これこそ酒の中の酒だ。カクテルなんぞ注文する奴の気がしれんわい」

キャンベルは苦笑し、スコッチをもう二杯持ってくるよう、バーテンダーに合図した。

「アメリカ合衆国に」

今度はトムソン准将がグラスを掲げた。

太い葉巻に火をつけ、一服吸いつけてから、目を細めて言った。

「シンガポールじゃ、どんなものでも手に入る。居ながらにして故郷の酒が楽しめるばかりじゃない。上等の葉巻に、朝は焼き立てのフランスパン、ソーセージ、ベイクドビーンズにアイリッシュシチュー、それにシドニー産の新鮮なロックオイスターだ。欲しければ、お子様向けのイギリス風味の高級アイスクリームまで食えるときた。

――まさに楽園だよ」

「その楽園で、昨夜、人が亡くなりました。そのことで少しお伺いしたいのですが」と切り出すと、トムソン准将はキャンベルの顔を正面から見つめた。

「きみの恋人は気の毒だったな」

軽く肩をすくめて言った。

「だが、彼女のせいで仮にも英国人が一人死んだのだ。自分の義務は果たさなくちゃならん。たとえ混血であろうともだ。それが文明というものだからな」

――混血だと？

キャンベルは内心の腹立ちを何とか抑え、努めて平気な様子を装って続けた。

「死んだブラント氏はサイン嫌い《ペンシル・シャイ》で有名だったそうですね？」

トムソン准将は肩をすくめ、うんざりしたように首を振った。

「そう、彼はよく請求書にサインをする段になると急に死んだふりをしていたよ。寝たふりじゃない、死んだふりだ。悪ふざけにもほどがある。成り上がり者は、だから自尊心がないと言われるんだ。何度か怒鳴りつけてやろうかと思ったんだが、ふむ……そうか、彼は本当に死んだのだったな。死者に鞭打《むちう》つなかれ。これ以上は何も言うまい」

それきり唇をきつく結んでいる。仕方なく質問を変えた。

「ブラント氏は一風変わった楽天的平和主義者だったという噂を耳にしました。昨日はそのせいで口論になったとも。楽天的平和主義者？　いったい、どういう意味です？」

「楽天的平和主義者だよ、ここにいる我々はみんな。そうは思わんかね？」

トムソン准将はニヤリと笑うと周囲を見回し、改めてキャンベルに向き直って続けた。

「この楽園に争いは似合わない。生涯を職業軍人として過ごしてきたこのわしでさえ、目の前の平和が永遠に続いてくれるよう心から願っておるくらいだ。いや、まったくのところ、この楽園の平和を乱すものなど金輪際願い下げだよ」

「しかし、欧州ではすでに戦争が始まっているのです。このごにおよんで、〝永遠の平和〟もないでしょう」

キャンベルは眉を寄せて反論した。

「あなたの故国である大英帝国は、今まさにこの瞬間もナチス・ドイツと戦争を行っているのですよ。欧州だけでなく、英国内でも先日から食料品の配給制度が始まったという話です。平和と言うには、いささか掛け離れた状況だと思いますがね」

「ふむ。配給制度はちと困るな」

トムソン准将は太い首をすくめて言った。

「だが、まあ、ここじゃ考えられんことだ。食料は無論、酒類の消費も無制限。毎晩どこかでダンスパーティーが開かれている。本国とは違うさ。それに、なに、ヒトラーもまさかシンガポールまでは攻めてこんだろう」

「ヒトラーはともかく、日本軍はどうです？」

キャンベルは、元大英帝国軍人が示す楽天ぶりに呆《あき》れながら尋ねた。

「日本軍は現在、国際社会の意見に背を向け、国連《リーグ》を脱退してまで、中国大陸での戦争を継続しているのです。ナチス・ドイツと手を結んだ日本軍は、いまや南方への進出の機会を虎視《こし》眈々《たんたん》と窺《うかが》っている――我々アメリカはそう考えています」

「だが、きみ、日本軍ごときにいったい何ができるというのかね？」

トムソン准将はさも馬鹿にしたように鼻を鳴らして言った。

「考えてもみたまえ。連中はもう何年も、装備劣悪な中国軍相手の戦争にさえ散々手こずっているんだ。アジア人はアジア人同士争うのがお似合いだよ。とうてい、わが大英帝国の敵ではないさ」

「しかし……」

「いいかね、きみ。きみはアメリカ人だから知らんだろうが、そもそも日本の連中に軍艦の動かし方を教えてやったのは我々英国なのだ。よろしい、万が一きみが言うように、日本軍が無謀にも南方進出を企て、このシンガポールに攻めて来ることがあるとしよう」

トムソン准将はそう言うと、上着のポケットから幾重にも折り畳んだ紙を取り出し、テーブルの上に広げた。

マレー半島の地図。半島先端の小島がシンガポールだ。

「日本軍は必ずや、大艦隊を率いて海正面からやって来る」

地図に指先を突きつけ、そう断言して、ニヤリと笑ってみせた。

日英同盟の破棄によって、日本は英国の〝敵〟となった。その日本に対して、英国は、東洋植民地の拠点シンガポール防衛のための備えをしてこなかったわけではない。

数年前には、英国本土から十万トンの収容能力がある巨大な浮きドックがインド洋を越えて密《ひそ》かに曳航《えいこう》され、これをもとに英国東洋艦隊の根拠地となる海軍基地が建設された。

海岸線の要所にはトーチカが造られ、十五インチの砲台が配備されて海を睨《にら》んでいる。

さらには、英国海軍最新最強〝不沈戦艦〟と謳《うた》われるプリンス・オブ・ウェールズ号が、同じく巨大戦艦レパルス号とともに、現在シンガポールに回航中である……。

いささか酔っ払った口調で披露されるトムソン准将の大演説を、キャンベルは唖然《あぜん》として聞いていた。

何も英国のシンガポール防衛策に感心したわけではない。

英国本土から十万トンの巨大浮きドックを曳航して海軍基地としたのも、海岸線に十五インチの砲台を備えたトーチカを配備したことも、さらに言えばプリンス・オブ・ウェールズ、レパルス両艦船の配備予定に至っては、極めつきの軍機事項に類するはずだ。

ラッフルズ・ホテルには一般客も出入りしている。

もし機密情報が日本軍の耳に入ったらどうするつもりなのか？

小声でたしなめたキャンベルに対して、トムソン准将は顔の前で煩《うるさ》げに手を振って答えた。

「ラッフルズ・ホテルには日本人など一人もおらんよ。日本人客はドアマンが絶対に通さないことになっているんだ。従業員も厳重な身元調査をして、日本と少しでも関係がある者は最初《はな》から雇わないことになっている。このホテルの中だけは何を話しても大丈夫だ」

ですが、とキャンベルは、先日領事館に入ったばかりの機密情報を思い出し、左右を見回していっそう声をひそめた。

〈極秘《トップシークレット》〉のスタンプが押されたその報告書には、

——日本陸軍内に密かにスパイ養成機関が設立された模様。詳細は不明ながら、当該機関で養成された日本のスパイたちはいずれも恐ろしく優秀であり、最大限の注意を要する。

そう記されていた。

「馬鹿馬鹿しい」

トムソン准将はたちまち呆れた顔になり、吐き捨てるように言った。

「黄色い日本人に優秀なスパイなど務まるものか」

日本人、のみならずアジア人一般を完全に見下している顔つきだ。

ふと、何か思い出した様子で顎《あご》に手をやった。

「待てよ、そう言えば昨日、あの男もそんなことを言っておったな？　ふん。だから、ブラントとあんな面倒な話になったんだ」

ようやく話が望むところに落ちた。キャンベルは眼を輝かせ、身を乗り出して尋ねた。

「あの男？　昨日ブラント氏と揉《も》めたのは、いったい何者だったのです？」

新任の英国陸軍大尉リチャード・パーカー。

それが、死んだブラントの口論相手だった。

昨日の昼過ぎ、パーカー大尉は着任後初めてラッフルズ・ホテルのロング・バーに顔を出した。トムソン准将はじめシンガポール在住の者たち数名と酒を飲むうちに、妙な話になった。

パーカー大尉は地元の実業家たちを相手に「シンガポールは現在非常な危機に瀕《ひん》している。防衛ライン建築のための労働者を軍に提供して欲しい」と強く訴え始めたのだ。

その場に居合わせた者たちは最初は笑うばかりで、まともに取り合おうとしなかった。

十万トンの巨大浮きドックによって、すでに本格的な海軍基地が完成している。海岸線には砲台を備えたトーチカ。さらには英国海軍最新の巨大艦船二隻がシンガポールを守るべく回航中だ。

これ以上、いったい何が必要だというのか？

嘲《あざけ》るような質問に対して、パーカー大尉は憤然として答えた。

日本軍がシンガポールを攻める場合、必ずしも艦隊を率いて海から来るとは限らない。

最近、日本陸軍内にスパイ養成機関が設立されたという噂もある。もし優秀なスパイがシンガポールに入り込んでいるとすれば、我が方の防衛施設の状況はすでに筒抜けだろう。彼らは守りの堅い正面からではなく、無防備に等しい背後からの侵入ルートを模索するはずだ。きっと思いもよらぬ手を考え出してくるに違いない。我々は背後からの攻撃にも備えなければならない。そのためには防衛ラインの建築が急務。人手がいる。日本軍の侵攻があるとすれば、霧の発生する十月から翌年の三月の間だ。時間がない。今こそ英国人社会挙げての協力態勢が必要だ。ここは一つ、祖国のために血を流してもらいたい、云々《うんぬん》。

パーカー大尉の愛国演説に対して、大規模ゴム農園経営者であるブラントがまず露骨に嫌な顔をしてみせた。

「なんとまあ、日本のスパイとはね！」

唇の端を歪め、首を振りながら皮肉な口調で呟いた。

欧州での戦争と米国の再軍備の動きを受けて、ゴム、並びに錫の相場が急騰していた。埠頭《ふとう》にはつねに何隻もの空船が係留され、船倉が満たされ次第出港していく。シンガポール沖には、港に入り切れない船が沖待ちしている状態だ。

ゴム農園経営者や錫の採鉱業者たちにとっては、まさにかきいれ時。

そのさなか、不必要な防衛ライン建築のために労働者を差し出せなどという世迷言《よまいごと》には到底黙っていられなかったのだろう。

「そんなありもしないものを持ち出して、新任大尉殿はまさか、ご自分の成績をあげるためだけに、日本との戦争をおっ始めるつもりじゃないでしょうな？」

痛烈な当てこすりの言葉が投げ付けられた。

〝平和主義者〟であるトムソン准将も、ブラントの側についた。

「『マレー半島は難攻不落の天然の要塞《ようさい》』。英国統合参謀本部じゃ、確かそういう評価だったはずだ。『日本軍の装備ではマレー半島の雨林《レインフォレスト》は突破不可能』。ナチス・ドイツの戦車部隊が相手というならともかく、装備に劣る日本軍がマレー半島伝いにシンガポールに攻め込んでくることなど、まずありえんよ」

トムソン氏の発言に、シンガポール在住の実業家連中、さらには領事館職員までが一斉にグラスを掲げて賛意を示した。

「ここだけの話ですが、チャーチル首相は『ソ連がドイツに敗れるまでは、日本軍は次の動きが取れない』、そう展望されています」

領事館職員の一人が、尻馬《しりうま》に乗って得意げにそんな秘密情報を披露した。

パーカー大尉は完全に孤立した。

全員からやりこめられる形となったパーカー大尉は、次第に押し黙り、やがて顔色を変えて立ち上がった。

バーを出ていく大尉の背中に向けて、残った者たちは祝杯を挙げた。

その時乾杯の発声をしたのが、ブラントだったという。

5

トムソン准将とバーで別れた後、キャンベルは夢遊病者のような足取りでロビーに移動し、柱の陰に置かれた籐椅子を見つけて、身を投げ出すようにどさりと腰を下ろした。

一点の染みもなく真っ白に塗り上げられた天井で、大きな扇風機がゆっくりと回転している。

その羽根の動きを目で追いながら、キャンベルは自問した。

――まさか、そんなことが有り得るだろうか？

昨夜ブラントはジュリアに突き飛ばされて墜落死したのではない、などということが？

トムソン准将から話を聞くうちに、キャンベルの頭にある仮説が浮かんできた。

昨日の深夜、人気《ひとけ》の消えたラッフルズ・ホテルの中庭《パームコート》で起きた事件の経緯は、警察や、あるいはジュリア本人が考えているものとは別のものだったのではないか？

例えば、こうだ。

ブラントは深夜、中庭を臨む二階の回廊で一人で酒を飲んでいた。

そこにジュリアが通りかかった。酔っ払っていたブラントは悪戯《いたずら》心からジュリアの腕をつかみ、振り払われた——。

ジュリア自身の証言もある。おそらく、そこまでは間違いあるまい。

だが一方で、ジュリアの行為が直接の原因でブラントが二階から落下、死亡したという証拠は、考えてみれば、何もないのだ。

もしブラントが、ジュリアに腕を振り払われたことで墜落しなかったとしたら？

そしてもし、その場面を偶然パーカー大尉に見られたのだとしたらどうか？

トムソン准将の話では、ブラントは普段から口の悪い男だったという。酔っ払っている上に、みっともないところを見られた決まり悪さから、彼は逆にパーカー大尉に暴言を吐いたのではないか？　もしかするとパーカー大尉の方からブラントに近づき、若い女性を恐がらせるようなブラントの悪戯を、英国人らしい生真面目さでたしなめたのかもしれない。

昼間のバーでの一件もある。

二人の男は口論から揉み合いになり、酔っ払ったブラントが倒された。あるいは、足を滑らせて自分から倒れたのかもしれない。その時、妙な倒れ方をしたせいで首の骨を折ったのだとしたら？

ブラントが死んだことに驚いたパーカー大尉は、とっさにある偽装工作を行った。

つまり、ブラントの死体を中庭の植え込みの中に移動させ、あたかも酔って二階の手摺りから墜落して事故死したように装った。もしそうなのだとしたら——。

キャンベルは詰めていた息をそっと吐き出して、小さく首を振った。

すべては推測に過ぎない。

他の者には、現実を受け入れられないキャンベルの妄想としか思えないだろう。警察に話しても、現時点では笑い飛ばされるのがおちだ。それでも——。

恋人の無実を証明する可能性が万に一つでもあるなら、その可能性を信じるのが自分の務めだ。

キャンベルは両手を広げ、自分の顔を二度、三度と強く叩《たた》いた。

絶望する前に、自分にはまだやれることがある。

失われた楽園を取り戻すことができるかもしれない。

そう思うだけで、世界がさっきまでとはまるで別のように輝いて見えた。

キャンベルは勢いよく籐椅子から立ち上がった。

6

キャンベルが英国陸軍大尉リチャード・パーカーをラッフルズ・ホテルの部屋に訪

ねたのは、その日の夕刻のことだった。

廊下の角を曲がった二階、一番奥の部屋。

フロントで教えてもらったドアの前で足を止め、キャンベルは一つ大きく深呼吸した。

——ジュリアの運命がこの手にかかっている。

そう思うと、緊張のために足が震え出しそうだった。

覚悟を決めて、ドアをノックした。

「パーカー大尉、ドアを開けて下さい。昨夜亡くなったブラント氏の件でお話ししたいことがあります」

部屋の中で人が動く気配があり、一呼吸あって内側からドアが薄く開いた。

その隙間から、ひどく憔悴《しょうすい》した男の顔が半分だけのぞいた。

亜麻色の髪がくしゃくしゃに乱れ、普段はきれいに剃《そ》っているはずの髭《ひげ》が細面《ほそおもて》の整った顔をむさ苦しく覆い始めている。青灰色の目の下には濃い隈《くま》が出来ていた。

「誰？」

パーカー大尉が目を細めるようにして尋ねた。

「マイケル・キャンベル、アメリカ領事館付武官です」

キャンベルは自己紹介した上で、慌てて付け加えた。

「ですが、今日はブラント氏殺害の容疑で逮捕されたジュリア・オルセンの許婚《いいなずけ》として来ました」

ジュリアの名前を出した瞬間、パーカー大尉の肩がびくりと震えたように見えた。が、彼はすぐに元の無表情に戻って、力なく首を振った。

「悪いが明日にしてくれないか。今は都合が悪い。ちょっと取り込んでいるものでね……」

目の前で閉じかけたドアの隙間に、キャンベルは靴先を突っ込んだ。

……？

パーカー大尉が困惑した様子で目を上げた。キャンベルはかまわず、強引にドアの隙間に体をねじ込み、部屋の中に入った。

「どういうつもりだ、きみ！」

パーカー大尉が憤慨したように声を上げた。

「直ちにこの部屋から出て行きたまえ。さもなければ、インド人のドアマンを呼んで、きみをつまみ出させるぞ！」

ベッドサイドの電話を取り上げたパーカー大尉に、キャンベルは軽く肩をすくめた。

「どうぞご自由に。ただし、騒ぎになって困るのは、あなたの方だと思いますがね」

そう言いながら、素早く部屋の中を見回した。

奥の部屋に置かれたベッドのシーツには皺《しわ》一つ見えなかった。

今日のベッドメイクは入っていない、と聞いた。パーカー大尉は昨夜は一度もベッドに横になることなく、一晩中起きていたのだ。

だが、いったいなぜ？　何のために？　彼は何をしていたのか？

答えはすぐに見つかった。

書き物机の上のタイプライター。周囲に大量に書類が散らばっている……。

「何が望みだ？」

案の定、パーカー大尉の方から折れてきた。相変わらず訝《いぶか》しげな顔をしているものの、受話器からはすでに手を離している。

「私がこれからある仮説をお話しします」

キャンベルは言った。

「それについて、パーカー大尉、あなたの考えをお聞かせ下さい。もし私の仮説が間違っていたら、すぐにここを出て行きます」

パーカー大尉は首を振り向け、書き物机の上にちらりと目をやった。天井を見上げ、一瞬諦めたように目を閉じた。が、すぐに目を開け、挑むように言った。

「いいだろう。その仮説とやらを話してみたまえ」

ブラントの死についての仮説を話す間、パーカー大尉はその場に立ったまま、じっと耳を傾けていた。

偽装工作。

キャンベルがその言葉を口にした瞬間、不快げに眉をひそめただけだ。

一通り話し終えた後、キャンベルは改めてパーカー大尉にまっすぐに目を向けた。

「パーカー大尉、おそらくあなたにはジュリアに罪をなすりつけるつもりはなかったのでしょう。ですが、結果として、ジュリアは昨夜のブラント氏の死が自分の責任だと思ってしまった。暗闇から伸びてきた手を自分が振り払ったことが原因でブラントはバランスを崩し、二階から墜落して死んだ――そう信じているのです。このままではジュリアは、殺人もしくは過失致死の罪で刑務所に送られることになってしまいます。一年から三年。あの劣悪な設備のチャンギ刑務所にです」

キャンベルは絶望的な思いで顔をしかめた。

「お願いです、パーカー大尉。どうか彼女を救って下さい。昨夜本当は何があったのか、あなたが真実を話して下されば、ジュリアは助かるのです！」

そう言って、じっと相手の様子を窺った。

憔悴し、落ち窪《くぼ》んだパーカー大尉の目の奥で、青灰色の瞳が一瞬逡巡《しゅんじゅん》するように揺れるのが見えた。彼は書き物机に目をやり、再びキャンベルに向き直った。その顔から迷いの色が消えていた。

「私には英国軍人としての務めがある」

パーカー大尉はきっぱりとした口調で言った。

「楽園惚《ぼ》け。それがシンガポールで暮らす英国人の正体だ」

パーカー大尉は唇の端を歪めてそう言うと、囁《ささや》くような低い声で続けた。

――日本との戦争など起こるはずがない。

シンガポールの施政者をはじめ、軍の高官連中は日常的にそう断言して憚《はばか》らない。

彼らにとって欧州で行われている戦争など、所詮《しょせん》は対岸の火事にすぎないのだ。だが、彼らの戦争観は完全に時代遅れだ。予《あらかじ》め決められた海域で艦隊を組んだ戦艦同士が激突し、使われた火薬の量と砲弾の数によって勝敗が決する――戦争はもはやそんな時代ではない。局地的には航空機と戦車による電撃戦。その後は、国家と国家、国民一人一人が最後の一人になるまで駆り出される国家総力戦。それが、今まさにこの瞬間、欧州で繰り広げられている〝新しい戦争〟なのだ。

D機関と呼ばれる日本のスパイ組織がすでにシンガポールに潜入し、活動しているという情報がある。彼らがすでに我々の側に対戦車戦の備えがないことを見抜いているならば（優秀なスパイであればきっと気づいているはずだ）、彼らは必ずや、海からではなく、我々の背後、マレー半島からの侵攻方法を見つけ出すだろう。時期はおそらく霧の発生する十月から翌年三月の間。時間がない。シンガポールにおいてわが英国軍は、こと諜報戦《ちょうほう》にかぎれば、日本に完全に後れをとっている。私はロンドン宛に緊急の報告書をまとめなければならない。シンガポール防衛のためには、巨大戦艦などではなく、むしろ最新鋭の戦闘機配備こそが必要だ。この軍事的危機を本国に伝えるのが、軍人としての私の務めだ。事態は一刻を争う。報告書をまとめ終わるまでは、私は何としても机の前を離れるわけにはいかないのだ――。

パーカー大尉は淡々とした様子でそう言うと、視線を床に落とし、唇をきつくかみしめた。

キャンベルは信じられない思いで口を開いた。

「待ってください。軍人としての務め？　いったいどういう意味です？　パーカー大尉、まさかあなたは、軍人としての務めを果たさなければならない――だから、真実を話すわけにはいかない。そうおっしゃるのですか？」

パーカー大尉は質問には直接答えず、顔を上げて、じっとキャンベルを見た。数秒の後、口を開いた。

「私は昨日の夕方からこの部屋を一歩も出ていない。誰にも会っていない。もちろん、亡くなったブラント氏にもだ」

人が変わったような無機的な声で言った。

「きみの仮説は単に推測を並べただけだ。いうなれば、現実がこうであって欲しいというきみの願望だ。恋人を助けたいというきみの気持ちはわかる。だが、確たる証拠もなしに私に罪をなすり付けようとするのは、とんだお門違いだ。話はこれで終わりだ。さあ、約束どおり、この部屋をすぐに出ていきたまえ」

手を上げ、まっすぐにドアを指さした。

キャンベルはがくりと項垂《うなだ》れ、首を振った。

——最後のチャンスが失われたのだ。


視線を下に向けたまま、呟くような声で尋ねた。

「……パーカー大尉、あなたはいま〝昨日の夕方からこの部屋を一歩も出ていない〟そうおっしゃった。間違いありませんね？」

「ああ、そのとおりだ。だからきみの仮説は成り立たない。約束どおり、さっさとこの部屋から出ていくんだ」

キャンベルは顔を上げ、出ていく代わりに、ポケットからハンカチで包んだ万年筆を取り出した。

「この万年筆に見覚えはありませんか？」

パーカー大尉は戸惑ったように差し出された品に目を細めた。

「どうやら私の万年筆のようだな。部屋に見当たらないので不思議に思っていたんだ。いったいどこで見つけた……」

言いかけて、ハッとした顔になった。

「まさか？」

「パームコートに落ちていました」

キャンベルは頷いて言った。

「ご存じのとおり、パームコートには様々な南洋の植物が植えられています。この万年筆は隅に植えられたオウギバショウの大きな葉と葉の間に挟まっていました。ちなみに、昨夜ホテルのバトラーが最初にブラント氏の死体を見つけた場所のすぐそばです」

キャンベルはロビーの籐椅子に座って自ら思いついた仮説を検証した後、すぐにパームコートを徹底的に調べて回った。仮説は、昨夜パーカー大尉が事件現場に居合わせたことが前提だ。それが事実か否か？　事実としても、そのことを証明する証拠が必要だった。

キャンベルは熱帯の強い日差しの中、汗だくになり、周囲の者たちに呆れられながら、パームコート中を這《は》いずりまわった。文字どおり一寸《いっすん》刻みに探してまわったが、そもそも何を探せば良いのか、いや、何かが存在するかどうかも不確かだった。さんざん探しまわったあげく、諦めかけたその時、キャンベルの視界の隅に何かピカリと光るものが飛び込んできた。オウギバショウ——別名タビビトノキと呼ばれる巨大な南洋植物の葉と葉の間。水滴に反射する陽光とは明らかに違っている。キャンベルは口の中に残った最後の唾《つば》をごくりと呑《の》み込み、かきわけるようにしてオウギバショウの葉の間を覗《のぞ》き込んだ。——そこで見つけたのだ。楽園をこの手に取り戻すための小さな鍵《かぎ》を。

「ともかく、見つけてくれてありがとう」

差し出されたパーカー大尉の手から、キャンベルは腕を引いて万年筆を遠ざけた。

「お返しする前に、お尋ねしたいことがあります」

キャンベルは言った。

「昨日の夕方からこの部屋を一歩も出なかったはずのあなたの万年筆が、なぜパームコートに落ちていたのか、その理由を説明して頂けますか」

パーカー大尉はいったん手を下ろし、肩をすくめて答えた。

「パームコートに出る機会はいくらでもあった。もっと以前に落としたのだろう」

「それはありえません」

キャンベルは首を振った。

「ラッフルズ・ホテルのパームコートは、日没後にマレー人のスタッフの手によって一度完全な清掃が行われます。朝になると、いつもパームコートにチリ一つ落ちていないのはそのためです。彼らに確認しました。昨日の日没時点でパームコートにこんなものは存在しなかった。毎日完璧《かんぺき》な仕事をしている彼らにかぎって見落としはありえません。もちろん、オウギバショウの葉の間もすべて確認したそうです」

パーカー大尉はきつく眉を寄せ、だが、すぐにまた口を開いた。

「そうか。それならきっと、別の誰かが私の万年筆を拾ったんだ。ロビーか、その辺りだろう。その人物が昨夜か、もしくは今日の昼間、パームコートに出た際にうっかり私の万年筆を落とした……」

「それもありえません」

キャンベルは再び首を振った。

「他の人物が落としたはずがないのです。なぜなら、この万年筆には、いいですかパーカー大尉、あなたの指紋しかついていないのですから」

「指紋？　指紋を調べただと？　それじゃまさか……」

パーカー大尉は大きく目を見開き、キャンベルの背後のドアへと視線を向けた。

「あなたはさっき、自分の罪を告白する最後のチャンスを失ったのです」

キャンベルは厳しい声で言った。

「あなたは、昨日の夕方から一歩も部屋を出ていないと言い張ることで、逆に嘘をついていることを証明してしまった。そう、廊下ではさっきからこの万年筆の指紋を調べた警官たちが待機しています。彼らはあなたの言葉を最初から聞いていました。きっと、あなたがなぜそんな嘘をついたのか、理由を知りたがることでしょう」

キャンベルがそう言ってドアの前から離れたのを合図に、廊下に待機していた何人もの制服姿の警官たちが部屋になだれ込んできた。

キャンベルが冷ややかな眼差しで見守る中、二人の警官が茫然《ぼうぜん》とするパーカー大尉の両脇から腕をさし入れ、彼を促して部屋を出て行った。

7

一時間後――。

キャンベルは、サウスブリッジ・ロードに面した英国海峡植民地シンガポール中央警察署受付ロビーの長椅子に座り、恋人が釈放されるのをいまや遅しと待っていた。

昼間パームコートを隈なく調べて回ったキャンベルは、オウギバショウの葉の間にシンガポール警察が見落としていた証拠の品――一本の万年筆を発見した。キャンベルは直ちに現場を確保。警官を呼んで、回収した万年筆を詳しく調べさせた。

万年筆からはパーカー大尉の指紋が、しかも彼の指紋だけが検出された。その時点で、キャンベルは自分の仮説が正しかったことを確信した。

だが、警察を動かすには、まだ一つ大きな問題が残っていた。

パーカー大尉が現場に万年筆を落とした時間だ。

ブラントの死亡推定時刻ちょうどにパーカー大尉が現場に居合わせた。

その事実を警察に認めさせるためには、パーカー大尉自身の証言がどうしても必要だった。

キャンベルは事件の担当刑事をつかまえ、自分の仮説を話して聞かせた。と同時に、一つの提案をした。

これからパーカー大尉と話をしに行く。何人かの制服警官を連れて一緒に来て、ドアの外で密かに会話を聞いていて欲しい。そして、もしパーカー大尉が「昨夜は一度も現場に近づいていない」と発言するようなら、証拠指紋付きの万年筆が存在する以上、彼は嘘をついていることになる。なぜパーカー大尉がそのような嘘をつくのか詳しく取り調べをしてもらいたい。

ホテルの部屋にパーカー大尉を訪れたキャンベルは、パーカー大尉の口から「昨夜は一度も現場に近づいていない」という台詞を引き出すことが、即ち彼に事件現場にいたという事実を一度否認させることが何としても必要だったのだ。

ホテルの部屋を訪れた際、ドアの前で足を止め、

――ジュリアの運命がこの手にかかっている。

そう思って、緊張のあまり足が震え出しそうだったのはそのためだ。

キャンベルは振り返って、そっと息をついた。

それもなんとかやってのけた。

キャンベルとの対決で追い込まれたパーカー大尉は「昨日の夕方からこの部屋を一歩も出ていない」と口走り、結果、嘘をついていることを証明してしまったのだ。

さっき受付に顔を出した担当刑事が、取り調べの様子をキャンベルに耳打ちしてくれた。

パーカー大尉は最初事実を否認した。昨夜は部屋から出ていない。本国への報告書を作成していたと言い張った。だが、証拠品である万年筆を突きつけられ、嘘をついた理由を追及されると、憔悴しきった顔でしばらく黙り込み、突然糸が切れたように全てを話し始めたという。

昨夜パーカー大尉は報告書作成の息抜きにパームコートに出た。その時、二階の回廊から声をかけられた。正確な時間は覚えていない。パームコートの灯りはすでに落ち、辺りはすっかり暗くなっていた。階段を降りてきたのはブラントだった。ブラントは中庭まで降りてくると、昼間のバーでの一件を蒸し返し、パーカー大尉の考えは

実に馬鹿げていると言って絡みはじめた。「金なら出してやるから、とっととシンガポールから出て行ってくれ」と買収まがいのことまでもちかけられた。報告書作成に苦労していたこともあり、パーカー大尉は思わずかっとなって激しい言葉を返した。するど、突然ブラントがつかみ掛かってきた。揉み合いになり、呆気なくブラントが倒された。生い茂る熱帯植物の奥、巨大なオウギバショウの根元に倒れこんだブラントは、なぜかそのまま起き上がってこなかった。不審に思って暗闇に目を凝らすと、首が妙な角度に曲がっていた。パーカー大尉は慌ててブラントの脇に膝《ひざ》をついた。腕を持ち上げて手首をとったところ、脈が確認できなかった。ブラントは死んでいたのだ。動揺したパーカー大尉はブラントをその場に残し、慌てて自分の部屋に駆け戻った――。

「朝になってブラント氏の死体が発見されれば、自分は逮捕される。それは仕方がない。だが、その前に何としても本国への報告書を仕上げなければならないと考えたのだ」

パーカー大尉はそう言うと、すべてを諦めた顔で首を振ったという。

事件は、ほぼキャンベルが思い描いた仮説どおりだった。違いと言えば、口論のきっかけがジュリアではなかったこと。それに、パーカー大尉がブラントの死を事故に見せかける偽装工作をしていなかったことくらいだろう。

「朝になって、ブラント殺害の容疑でジュリア・オルセン嬢が自首したという話を聞いた。なぜ彼女がそんなことをするのか分からなかった。が、これで報告書を作成する時間ができたと思ってホッとしたのは事実だ。報告書が仕上がり次第、自首して本当のことを言うつもりだった。決して彼女に罪を押しつけようとしたわけではない」

パーカー大尉はそう言っているらしいが、本当かどうかは怪しいものだった。


かくてジュリアの容疑は晴れた。

ジュリアは結局自分がやりもしなかった殺人の罪に悩み、自首しただけだったのだ。あとは勾留《こうりゅう》の取り消し手続きが済み次第、無罪放免。釈放されるのを待つばかりだ。その手続きに意外に時間がかかっていた。

奥のドアが開いて恋人が顔を見せるのを、キャンベルはじりじりしながら待っていた。過ぎてゆく一秒一秒がもどかしかった。一方で、楽園をこの手で取り戻したと考えれば胸の内は誇らしさでいっぱいだった——。

「ねえ、おじさん。なんで笑ってるの？」

意識の外から声をかけられて、キャンベルはハッと我に返った。五歳か六歳くらいの子供がすぐ脇に立ち、不思議そうにキャンベルの顔を覗き込んでいた。

キャンベルは思わず頰を赤らめた。知らぬ間にニヤニヤしていたらしい。

「ちょっと嬉しいことがあってね。それで笑っていたんだよ」

ふーん、と言ったその子は、唐突にキャンベルに向かって左手を突き出した。

「おじさん、ぼくの脈を診《み》て」

どこで聞き覚えたのか、そんなことを言う。

どれどれ、と苦笑しながら子供の腕を取ったキャンベルは、次の瞬間ぎょっとなった。

いくら探っても、子供の手首には脈が感じられなかった。

だが、そんな馬鹿なことが——。

子供はキャンベルの腕を振り払い、きゃっきゃっと笑いながら走って逃げて行った。逃げる途中、何か落とした。小さな、丸い、ボール状の品。落ちた瞬間、ロビーの床で大きくはずみ、コロコロと転がった。子供は急いで落とした物を拾い上げ、ロビーの向かい側、やはり何か手続きが終わるのを待っているのだろう、うんざりした顔の母親のもとに駆け戻った。母親の腕を引っぱり、注意をひきつけて、何ごとか得意げに話をしている。キャンベルを指さす子供の手には、小さな丸いボールが握られたままだった。

母親が目を上げ、申し訳なさそうな顔付きで肩をすくめてみせた。

キャンベルは片手を挙げ、気にしていないことを告げた。

どうやら、まんまと悪戯《いたずら》に引っ掛かったらしい。

悪戯のタネは、ゴムの樹の樹液を固めたいわゆる〝ゴム球〟だ。マレー、シンガポールはゴムと錫の産地だ。ゴム球など、どこにでも転がっている、ごくありふれた品だった。

「ぼくの脈を診て」

そう言って左手を突き出した時、子供は脇の下にゴム球を強く挟み込んでいた。そのために一時的に血流が阻害され、いくら探っても脈が感じられなかったのだ。

苦笑したキャンベルは、ふと妙な気がした。目まぐるしかった今日一日で耳にした幾つもの単語が脈絡もなく頭に浮かんできた。

成り上がり者のブラント氏。サイン嫌い《ペンシル・シャイ》。死んだふり。悪ふざけにもほどがある。半島から攻めてくる敵への備え。要塞建築のために人手を無償で提供してほしい。ゴムも錫も今がまさにかきいれ時だ。新任大尉殿はまさかご自分の成績をあげるためだけに日本との戦争をおっ始めるつもりじゃないでしょうな……。

言葉の断片がジグソーパズルのようにつながってゆく。

死んだふり。

不意に、殴られたような衝撃を受けた。

トムソン准将は、死んだブラントを評してこう言った。

「彼はよく請求書にサインをする段になると急に死んだふりをしていたよ。寝たふりじゃない、死んだふりだ。悪ふざけにもほどがある」

ブラントは広いゴム園を経営していた。もしかすると彼は、サインの際になるときまってゴム球を脇に挟んで〝死んだふり〟をしたのではないか？　無論、普段から顔見知りの者たちにとっては、そんなことは児戯に類する悪ふざけにすぎない。だが、新任の英国陸軍大尉リチャード・パーカーは、昨日の昼間、着任後初めてラッフルズ・ホテルのロング・バーに顔を出した。彼はブラントの悪ふざけを知らなかった可能性がある。だとすれば――。

「報告書作成に没頭していたので正確な時間はわからない」

パーカー大尉はそう言っているという。

もしかすると、順番は逆だったのではないか？

日没後、中庭を見下ろす二階の回廊で一人で飲んでいたブラントは、パーカー大尉が中庭に出てきたのを見つけて、ある悪戯を思いついた。ブラントはパーカー大尉に声をかけ、昼間の一件を蒸し返して、わざと喧嘩を吹っかけた。自分からつかみ掛かり、頃合いを見計らって派手に倒れた。首をあらぬ方向に折り曲げ、ゴム球を脇の下に強く挟みこんで脈を取れなくするお得意の〝死んだふり〟をしたのだ。ブラントの普段の悪ふざけを知らないパーカー大尉は、案の定、彼を殺してしまったと思い、顔色を変えて現場を立ち去った。

その後ブラントはおもむろに起き上がると、二階の回廊、柱の陰の目立たぬ場所に戻って、一人で酒を飲んでいた。パーカー大尉が戻って来てあたふたする様子を覗き見て、笑ってやろうと思ったのだ。だが、パーカー大尉はなかなか戻ってこなかった。そこにジュリアが通りかかった――。

柱の陰から無言でジュリアの腕をつかんだのはおそらく、近くに戻って来ているかもしれないパーカー大尉に〝死んだはず〟の自分の声を聞かれたくなかったからだ。あるいはブラントは、ジュリアにも一緒にパーカー大尉の狼狽《ろうばい》ぶりをこっそり覗き見て楽しもうと持ちかけるつもりだったのかもしれない。だが、暗闇から突然伸びてきた手に腕をつかまれたジュリアは恐怖にかられ、手を振り払って逃げ出した。不安定な姿勢で手摺りに腰かけていたブラントは、はずみで二階から転落。本当に首の骨を折って死んだ……。

そう考える方が自然なのではないか？

いや、今から思えば、普段の自分ならきっとそんなふうに考えたはずだ。それなのに、あの時にかぎってなぜ自分はあんな仮説を――？

キャンベルは今日一日ずっと感じ続けていた違和感を、今はっきりと自覚した。

あの仮説は本当に自分が考えついたものだったのだろうか？

在英領シンガポール米国領事館付武官。と言えば大そうに聞こえるが、はっきり言って閑職である。

選考基準は、見栄えの良さと、人当たりの柔らかさ。

そのくらいのことは、誰に言われなくともキャンベル自身がよくわかっている。自分で言うのもなんだが、頭脳明晰《めいせき》、一を聞いて十を知る、といったタイプではない。いくら恋人を救うためとはいえ、警察が見逃した証拠品を見つけ出し、〝真犯人〟と対決して自白を引き出す——そんなことが自分にできるだろうか？

冷静に考えれば、昼間のトムソン准将の話はごく普通の、ありきたりの内容だった。普段のキャンベルなら、あの程度の手掛かりからブラント事件の真相、さらにはパーカー大尉による偽装工作の可能性まで見抜くことなど、どうやっても不可能なはずだ。

なぜ今日にかぎって、まるで人が違ったように振る舞えたのか？

——誰かに操られていたのではないか？

その可能性に思い当たった瞬間、キャンベルは背筋にゾッと冷たいものを感じ、左右を見回した。

だが、いったい誰に？

頭の片隅に、ある情景が浮かんできた。

カウンターの上に差し出された背高のグラス。シンガポールの夕日を思わせる赤いカクテル。表面が微かに泡立っている。カクテルの名前は――。

シンガポール・スリング。

あの時キャンベルは、バーテンダーから声をかけられ、彼に勧められるまま新作のカクテルを何杯か飲んで、感想を口にした。だが――。

新作のカクテルの感想？

本当にそうだったのか？

〈考え方《コンセプト》を根本から見直した方がいい……相性がよくないな……喧嘩しているみたいだ……南国の果物をもっと試してみては……表に出ちゃ台なしだ……うまく隠して……タイミングが重要だ……いっそ順番を逆にしてみれば……〉

あの時は、自分の考えを、自分の意志で喋ったつもりだった。だが、今になって振り返ると、なぜか奇妙な感じがする。まるでそれらの言葉を口にするよう、巧みに仕向けられていたような気がしてならないのだ。

別の情景が頭に浮かんだ。

あの時バーテンダーは銀色の錫のグラスを磨いていた。グラスを顔の前に掲げ、表面に汚れが残っていないかどうか入念に確かめていた。まるで指紋を確認するように。

あの場面だけが、妙にわざとらしい気がして印象に残っている。

だが、まさか？　そんなことがあるだろうか？

バーテンダーに促されてキャンベルが口にしたカクテルの感想、さらにはバーテンダーの何げない動作が、その後のトムソン准将との会話の台詞と頭の中で無意識に結びつき、結果としてキャンベルにあの仮説を思いつかせたなどということが……？

事件の〝考え方《コンセプト》を根本から見直し〟て、時間の〝順番を逆にしてみる〟。〝相性がよくない〟〝喧嘩した〟相手の存在。事件は〝表に出ちゃ台なし〟、〝うまく隠〟されている。隠蔽《いんぺい》工作。〝南国の果物をもっと試してみては〟。中庭の南洋植物の間。そこで見つけた万年筆の指紋を探せ――。

その後のキャンベルの行動をすべて示唆している。

いや、それだけではなかった。

キャンベルはあることに思い当たり、ごくりと唾を呑み込んだ。

シンガポール・スリング。

バーテンダーはあの時、新作のカクテルの名前をなぜか煩《うるさ》いほど口にしていた。

ドイツ語の〝飲み込む《シュリンゲン》〟が変化した〝スリング〟には英語で〝吊《つ》り下げる〟の意味がある。ブラントは本当は墜落しなかったのではないか？　キャンベルがそう思い始めたのは、耳元で何度も繰り返されたあの言葉のせいだ。それが、仮説のそもそもの前提となった――。

だが、いったいなぜ？　何のために、彼はそんなことを？

お酒が入ると、みなさん口が軽くなりますからね。

バーテンダーの言葉が耳の奥に甦《よみがえ》った。

もし彼が見た目どおりの中国人などではなく、本当は日本人――D機関と呼ばれる日本軍のスパイ組織の一員なのだとしたら？

ラッフルズ・ホテルのロング・バーは恰好《かっこう》の情報収集場所だ。日本人は足を踏み入れることができない。バーに集う英国人たちは全員がそう思っている。不用意に機密情報を漏らす機会も少なくない。

すべての辻褄《つじつま》は合う。だが――。

あのバーテンダーが日本のスパイ？

キャンベルは信じられない思いで、昼間会ったバーテンダーの顔を思い出そうと試みた。

いくら考えても、彼がどんな顔をしていたのかまるで思い浮かばなかった。お仕着せのホテルの白い制服、襟元の黒い蝶ネクタイ。そこまでは思い出せるのだが、なぜか顔の部分だけが白く抜け落ちている。もう一度会っても、同一人物だと断言する自信はとてもなかった。

顔のない、名無しの男。

それが日本軍のスパイ、D機関から派遣された諜報員だというのか？

証拠は何一つない。すべてはキャンベルの想像だ。

だが、もしあのバーテンダーが日本軍のスパイだったとしたら──。

キャンベルは突然、その事実の先にある恐ろしい可能性に気づいて、茫然となった。

〝東洋の真珠〟、あるいは〝神秘の楽園〟と呼ばれる英領シンガポールの白人社会の中で、本当はパーカー大尉だけが唯一世界をありのままに見ていたのではないか？

シンガポールに住む白人たちはみな、夢のように美しい光景と目の前の平和の幻影に酔いしれ、この楽園が永遠に続くものだと信じきっている。それが錯覚なのだとしたら？　事実は、今この瞬間も南方進出を窺う日本軍が着々と侵攻計画を進めている。シンガポールには、すぐ間近にまで危機が迫っているのだとしたら……。

パーカー大尉は〝楽園惚け〟したシンガポール白人社会の中で、唯一状況を正確に把握している人物だった。日本のスパイにとってパーカー大尉は邪魔な存在だった。あるいは、大尉が本国に進言していた〝最新鋭の戦闘機配備〟を何としても阻止するのが彼の目的だったのかもしれない。パーカー大尉を排除する機会を窺っていたまさにその時、たまたまホテル内で事故が起きた。日本のスパイはこの事故を利用することにした。自分は決して表に出ることなく、恋人を救うことで頭がいっぱいになっている単純なアメリカ人の青年を操って、パーカー大尉を排除した。それこそが真実なのだとしたら——。

パーカー大尉は、証拠品となった万年筆をどこで落としたのか覚えていないと証言している。

万年筆にはパーカー大尉の指紋しかついていなかった。だからこそ、警察を動かすに足る証拠となったわけだ。だが、持ち主の指紋だけがはっきりとついている状況はあまりに都合が良すぎるのではないか？

〝磨き上げた金属表面に残った指紋は、生ゴムを使えば簡単に写し取ることができる〟

以前、どこかでそんな話を聞いた覚えがある。

あのバーテンダーなら、パーカー大尉の指紋を簡単に入手できた。錫のグラスの表面に残った指紋を生ゴムで写し取り、任意の場所に残すことが可能だった。もしかすると彼は、パーカー大尉の万年筆を密かに盗み出し、他の指紋をきれいに拭《ぬぐ》い取った上で、大尉の指紋だけをつけてあの場所に放置したのではないか。後でキャンベルに発見させるために……。

その時、予告もなく奥のドアが開き、ジュリアが姿を現した。

心細げに左右を見回している。

思わず長椅子から立ち上がったキャンベルの姿を認めて、ジュリアがぱっと明るく顔を輝かせた。

その瞬間、キャンベルの頭からジュリア以外のものはすべて消えうせた。

小走りに駆けよる恋人を両手を広げて迎えながら、キャンベルは確信した。

再びジュリアに疑いの目が向けられるくらいなら、自分は真実など絶対に誰にも話さない。

たとえ、それが悪魔《サタン》の誘惑だとしても。

たとえ、愛ゆえにこの楽園を失うことになるとしても。

腕の中に飛び込んできた美しい恋人をキャンベルはしっかりと抱き締めた。そして、甘やかな香りの中にすべてを忘れた。

追　跡

1

なぜこんなことになった？

英国タイムズ紙極東特派員アーロン・プライスは、茫然《ぼうぜん》となりながら、耳元でがなりたてられる耳障りな日本語をひどく遠いものに感じていた。

机の上に置かれた両手には頑丈な鋼鉄製の手錠が掛けられている。

なぜだ？　なぜこんなことに……いったい、どこで間違った？

答えの出ない問いが、さっきから頭の中で渦を巻いている。

ふと、頬に涼しい風を感じて、顔を上げた。

視界に飛び込んできたのは眩《まぶ》しいばかりの青空だ。

——そうか……もう夏だったな。

プライスはぼんやりと考えた。そして、自分がこの部屋を出て行く場合、唯一の出口となるべきその場所を無感動に眺めた。

憲兵隊本部、最上階の取調室。

大きく開け放たれた五階の窓からは、うるさいほどの蟬の声が聞こえていた——。

2

プライスがその噂を初めて耳にしたのは、横浜の港を望む〈ガスライト〉というバーでのことだった。

日英関係の悪化に伴い、日本国民の間では昨今とみに反英感情が高まっている。酒場で喧嘩《けんか》を吹っかけられることもあるので、うかつな場所ではゆっくり飲んでもいられない。が、在日英国人が経営するスタンディング形式のそのバーでだけは、心置きなく酔っ払うことができた。

噂とは、

「数年前に日本陸軍内に密《ひそ》かにスパイ養成機関が設立された。その機関出身の優秀な日本のスパイたちが最近国内外で暗躍している」

というもので、最初プライスは鼻で笑って相手にしなかった。

武士道を重んじる日本の軍隊では、伝統的にスパイ行為を「卑怯《ひきょう》卑劣な行為」と見なす風潮がある。殊《こと》に帝国陸軍でその傾向が強く、「汚れ仕事」「皇軍の名を辱める」としてスパイを忌み嫌っている。かつてプライスが取材した陸軍のお偉いさんなどは、それとなく水を向けたところ、「間諜《スパイ》だと？　そんな連中は、のぞき見趣味の、出歯《でば》亀野郎《かめ》だ！」と、まるで汚いものでも吐き捨てるように言ったものだ。

そのような精神風土の中では、いくら養成機関を設けたところで〝優秀なスパイ〟など育成できるわけがない――。

片方の眉《まゆ》を上げ、ニヤリと笑ってみせると、相手は苛立《いらだ》ったように顔をしかめた。

「ジョークを言っているわけじゃないんだ」

薄暗いカウンターの一番奥、混んだ店の中で周囲の目を気にするように肩をすぼめてプライスと酒を飲んでいるのは、在日英国大使館に勤める事務員ヒュー・モリソン。語学の才能に恵まれ、大使館では専ら日本語の書類の翻訳仕事を手掛けている。

「ここだけの話にしてもらいたいのだが……」

とモリソンが声を潜め、小声で続けた話を聞いて、プライスは眉を寄せた。

モリソンは先日、駐日英国大使宛てに本国から届いた極秘書類を偶然目にした。そこに「日本のスパイに対する厳重な注意」と同時に「謎に包まれた当該機関の情報収集」を指示する文言が記載されていたのだという。

「何でも、その養成機関では軍外の者たち、即ち東京や京都の帝国大学、あるいは外国の大学を卒業した優秀な若者たちが集められ、スパイとしての教育を受けているらしい。実際、現在世界各地のイギリスの植民地、さらには英国本国でも、彼らの活動によると思《おぼ》しき情報被害が発生しているようだ」

モリソンの言葉に、プライスは目を細め、じっと考え込んだ。俄《にわか》には信じかねる話だった。だが、もしその情報が正しいとすれば——。

首を振り、一つため息をついた。モリソンに礼を言い、カウンターの下で密かに金を渡してバーを後にした。

プライスは人気《ひとけ》の消えた深夜の事務所に戻り、椅子《いす》の背に深く体をもたせかけた。煙草をくわえて火をつけ、立ちのぼる煙の行方を目で追った。

そんなことがあり得るだろうか？

プライスはなお半信半疑であった。

官僚組織の常として、日本の陸軍には〝純血〟を貴ぶ傾向がある。良い例が、組織内人事だ。人事を掌握する陸軍省人事局補任課は伝統的に、課長課員共々、全員が幼年学校からの〝生え抜き〟将校で占められる。要するに、陸軍幼年学校から陸軍士官学校、さらには陸軍大学校を優秀な成績で卒業した者たちだけが組織の中で出世し、幅を利かせるということだ。

逆に言えば、いくら優秀であろうとも、幼年学校から以外の〝途中参加組〟は、その後の人事において差別される仕組みになっている。

彼らは当然のごとく、軍人以外の者を〝地方人《ちほうじん》〟と呼んで蔑視《べっし》する。その雰囲気の中、さらにはスパイ行為そのものを厭《いと》う陸軍の組織において、一般の大学を出た者たち——陸軍の中ではほとんど〝異教徒〟扱いだ——を集めてスパイ養成機関を作り上げ、実際に成果を上げる？　そんな離れ業が本当に可能なのか？

唇の端に煙草をくわえたまま、プライスはデスクの上に広げたメモ用紙に視線を戻した。

結城《ゆうき》中佐？

白いメモ用紙の中央に短く、疑問符付きでそう記されている。

彼こそが日本帝国陸軍内にスパイ養成機関をたった一人で作り上げ、異端のスパイたちを統《す》べる元締め《スパイ・マスター》だという。

——面白い。

プライスはニヤリと笑い、短くなった煙草を灰皿でもみ消した。

不可能を成し遂げた謎の男、結城中佐の過去を追う。

英国タイムズ紙極東特派員アーロン・プライスにとって、それは充分に魅力ある取材テーマであった。

3

プライスが来日して十年になる。

五十六歳。

おそらく日本が最後の勤務地となるはずだ。

日本に来る前は、ボンベイや香港《ホンコン》といった英領アジアの植民地で記者を歴任。

十年前、神戸港から初めて日本に上陸したプライスは、たちまちこの国の美しさに魅了された。

活気に溢《あふ》れてはいるが、猥雑《わいざつ》、混沌《こんとん》、傍若無人な他のアジア地域の雰囲気に、いささか辟易《へきえき》していた。それに比べて、塵《ちり》一つなく掃き清められた街路、几帳面《きちょうめん》で親切な人々、穏やかな笑顔といった日本、及び日本人の特徴は、あたかも神から与えられた慈雨《マナ》のごとく感じられたものだ。

来日直後から、プライスは日本を好意的に紹介する記事を次々に本国に書き送った。サクラ、ゲイシャ、フジヤマ、ジンジャ、エンニチ、ハナビ、シシマイ、キクニンギョウ。記事は本国の新聞に掲載され、概《おおむ》ね好意的に迎えられた。日本通《にほんつう》。在日外国人記者たちの間でいつしかそう呼ばれるようになった。プライス自身、難解と言われる日本の文字を懸命に学び、今では自分のサインに〝阿龍《アーロン》〟の字をあてるほどだ。

過去を振り返っていたプライスの顔が、不意に歪められた。

あの頃と、日本は雰囲気ががらりと変わってしまった。

来日した頃のこの国は、軍服を着た政治家たちがこんなに大きな顔をしてのさばってはいなかった。この数年、政治家や財界人を狙ったテロ事件が頻発。それに伴い、思想言論に対する締め付けが厳しくなっている。

今では日本に滞在する外国人記者全員に政府の監視がつく。記事はすべて検閲され、特に天皇及び皇族については、侮辱的に論じることはおろか、軽いジョークの対象にさえできない。しかも、この取り締まりには、はっきりしたルールがない。およそビクトリア時代の古臭い自由主義から最先端の無政府主義に至るまで、ありとあらゆるものが削除の対象となるのだ。

外国人記者たちの中には「こんな状況でまともな記事など書けるものか！」と憤然と言い捨てて日本を去った者も少なくない。

そんな中、プライスは幾人かの外国人記者ともども、この国に留まり続けた。

こんな状況だからこそ自分には日本で為《な》すべきことがある。日本を愛し、日本のことを知り尽くした自分にしか出来ないことがある。そう自負していたのだ。

大日本帝国陸軍内にたった一人で異形のスパイ組織を作り上げた男――。

〝結城中佐〟とはいったい何者なのか？　どこの部隊に所属していて、そもそもファーストネームは何というのか？

取材を開始したプライスは、しかし、たちまち不可解な壁にぶつかった。

結城中佐当人に直接取材出来るとは最初《はな》から考えていなかった。

相手は現役のスパイ・マスターなのだ。敵性国家である英国人記者の取材を受けるはずがない。プライスとしては、

――結城中佐を知る者たちの証言を重ね合わせることで、間接的に彼の横顔《プロフィール》を浮かび上がらせる。

そのつもりだった。

ところが、いくら聞き回っても、結城中佐を実際に〝知っている〟という人物に一人も行き当たらないのだ。「噂は聞いたことがある。だが、どんな人物か知らない」。皆口を揃え、しかもたいていは不快げに眉を寄せて、そう言うばかりだ。

プライスは首を捻《ひね》った。

結城中佐はまるで幽霊のように誰にも見られず、一切足跡を残すことなく動き回っている。そうとしか思えなかった。しかし、そんなことが現実に可能なのか？

どの国もそうだが、軍隊とは本質的にひどく官僚主義的、言い換えればお役所仕事

的な一面を持つ。具体的には、事務手続きの際は必ず書面をもって行われ、そしてその書類は必ず保管される。保管してある書類を調べさえすれば、軍隊に所属する者は誰であれ、活動経歴を辿《たど》ることができる仕組みになっている——。

プライスはふとあることに思い当たり、ニヤリと笑った。

現在の結城中佐を知る者が見つからないならば、過去から辿るまでだ。軍隊に所属している以上、書類を調べれば必ず過去に行き当たるはずだ。

無論、陸軍内に保管されている軍人情報を外国人記者であるプライスがおいそれと閲覧できるわけはない。が、一方で、容易に閲覧可能な情報も存在していた。例えば、陸軍幼年学校、陸軍士官学校の在籍者名簿だ。非公式に作成された名簿は、機密指定を受けているわけではないので、適当な手づるがあり、かつ相応の金を払いさえすれば、簡単に写しを手に入れることができる。

プライスは集めた噂から、結城中佐のおよその年齢、陸軍幼年学校、陸軍士官学校の卒業年度を割り出し、前後数年の在籍者名簿を入手した。大勢の同期の中には必ず脇の甘い人物がいる。あるいは途中で軍人の途《みち》をドロップアウトした者になら接触するのも難しくはない。〝同じ釜《かま》の飯を食う〟という日本の諺《ことわざ》がある。「食事をともにする者は家族も同然だ」という意味だ。その人がどんな人物なのか知るためには〝同じ釜の飯を食った者〟即ち、結城中佐と陸軍幼年学校、もしくは陸軍士官学校で親しくしていた人物に話を聞けば良い。少なくとも何らかの手掛かりが得られるはずだ。

プライスほどの日本通をもってして初めて思いつくことができる搦《から》め手だった。

自信満々調査を開始したプライスは、だが、すぐに首を傾げることになった。

いくら探しても、それらしき人物が見当たらない。そもそも〝結城〟というファミリーネーム自体、該当する名簿には存在しないのだ。

念のため、さらに何年か調査対象を広げてみたが、やはり無駄骨だった。

——どうなっている？

プライスは煙草に火をつけ、軽く顔をしかめた。

目の前にはフミヅクエと呼ばれる足の低い日本の書き物机が置かれ、畳の上にアグラをかいて座っている。それがプライスの自宅の書斎だった。

机の上に広げた書類を前に、プライスは腕を組んで考え込んだ。

もう一度、情報を頭の中で整理してみる。

昨今、英領植民地各地のみならず英国本土においても機密情報漏洩《ろうえい》の疑いが発生している。調査の結果、日本帝国陸軍内に設立された〝地方人〟を集めたスパイ養成機関が関係していることが判明した。組織をたった一人で作り上げ、軍隊組織の理論に馴染《なじ》まぬスパイたちを束ねている人物、それが結城中佐——。

そこまで考えて、プライスは眉を寄せた。

〝結城〟が日本帝国陸軍内に籍を置く人物であることは間違いない。

なぜなら軍は、民間人の報告など——たとえそれがどれほど有意義な情報であろうとも、一切相手にしない。各国に散らばる優秀なスパイたちがもたらす情報を活かすためには、スパイ・マスターである結城が大日本帝国陸軍に所属し、かつ佐官クラス以上の高級将校であることが必要かつ絶対条件だ。陸士・陸大卒でない将校など、日本の軍隊で聞いたことがない。

だが、それならなぜ、陸士・陸大の在籍者名簿の中に〝結城〟の名前が見つからないのか?

疑問はまだある。

プライスは調査の過程で、結城中佐が設立したスパイ養成機関が通称〝D機関〟と呼ばれていることを突き止めた。

なぜ〝D〟なのか?

立ちのぼる煙の行方を目で追いながら、プライスは思索の糸が自由に伸びるに任せた。

通称には何らかの意味があるはずだ。

その性質上、各国スパイ機関の正式名称には、秘密情報や軍事情報、あるいは戦略、国防、保安、作戦、教育、養成、諜報《ちょうほう》などの文字が含まれる場合が多い。だが、日本語のみならず、英語、ドイツ語、フランス語、その他主要な言語に置き換えても、〝D〟の頭文字《イニシャル》は適合しない。それなら、なぜ〝D〟の通称が使われているのか？

頭の隅に、やはり調査の途中で小耳に挟んだ、ある単語が浮かんできた。

魔王。

結城は周囲の者たちから〝魔王〟と呼ばれ、恐れられているという。

この手の機関は組織者の名前や通称にちなんで呼ばれることがある。ならば〝D〟は結城の通称――デーモン、あるいは、デインジャラス、ダークネス、といった英語の頭文字から来ているのか？

プライスは首を捻った。

どうもしっくりこなかった。

はっきりした根拠はない。だが、長年海外で記者を勤めてきた者の勘として〝D〟の通称には何か別に理由があるような気がする……。


「ネエ、アナタ。だーりん、今チョット良イカシラ」

背後から声をかけられ、振り返ると、妻のエレンが敷居の上に小首を傾げるようにして立っていた。

ベルギー出身の二十九歳。白人にしては小柄な方だろう。日本のデパートで売り子《マネキン》をしているところを見初め、強引に口説いて一年半程前に結婚した。歳が離れていることもあって、プライスは結婚後も妻のエレンを子供の様に甘やかしている。普段は仕事中に声をかけられると不機嫌になるプライスも、エレンにだけは例外だった。

にこりと笑い、優しい顔で手招きすると、エレンは隣に来て、畳の上に長い足を折るようにして座った。

「以前オ世話ニナッタ棚橋《たなはし》さんカラ〝さんじゅうニ引ッ越シマシタ〟トイウ葉書ガ来タノダケレド……ドウイウ意味カシラ？」

さんじゅうに引っ越した？

机の上に差し出された挨拶《あいさつ》葉書を一瞥《いちべつ》して、プライスは思わず吹きだした。

「エレン、棚橋さんは〝さんじゅうに引っ越した〟んじゃない。これは三重《みえ》という地方に引っ越した——そう読むんだ」

読み間違いを指摘すると、エレンは納得がいかない顔になった。ナゼさんじゅうジャナクテ、みえト読ムノ？　どうしてソンナコトガ判ルノ？　セッカク漢字ヲ勉強シテモ役ニ立タナイ。そう言って頬を膨らませている。そう言えば、数日前〝二重《にじゅう》〟の漢字の意味と読み方を教えたばかりだ。

「日本の漢字には幾つもの読み方があるんだ」

プライスは苦笑しながら、辛抱強く妻に説明した。

「前後の文脈で読み方が変わるんだよ。ちゃんとした規則はないんだが、日本の人たちはみんな無意識に読み分けをしている……」

言いかけて、不意にハッと口を閉ざした。

一瞬、頭の中を何かが通り抜けた。思いもかけない可能性。だが、まさかそんなことが……。

プライスは机の上に広げた名簿を振り返った。そして、呆気《あっけ》に取られた様子のエレンには目もくれず、在籍者名簿に記載された名前を食い入るように見直し始めた。

4

数日後――。

プライスは東京郊外に住む一人の老人を訪ねた。

小体《こてい》ながら手入れの行き届いた日本家屋。「里村《さとむら》」と書かれた表札を確かめて、引き戸の奥に声をかけた。

顔を出したのは、小柄な好々爺《こうこうや》だ。

「お待ちしておりました。ご覧のとおりの一人暮らしなので、たいしたおもてなしはできませんが、ゆっくりしていって下さい」

家の主人である里村老人はそう言うと、プライスを奥の客間に案内し、手ずから淹《い》れたお茶を勧めてくれた。畳の上に正座したプライスは、内心ひどく感心しながら目の前に座る老人を眺めた。

八十歳を幾つか過ぎているはずだが、矍鑠《かくしゃく》としたものだ。

尤《もっと》も、感心したのはそのためではない。

確かに事前に訪問予定は伝えてあった。が、現在の日本では外国人は珍しい存在だ。しかも、巷《ちまた》には排英感情が溢れている。そんな中、里村老人は英国人新聞記者であるプライスの訪問にも少しも動じる様子が見えない。

だが、これは驚く方がおかしいのだ。

里村老人はかつて、日本の貴族である有崎《ありさき》子爵の屋敷で長年にわたって家令《かれい》を務めていた。外国からの訪問客に慣れているのは当然だろう。また、華族の屋敷で長く家令を務めるうちに感情を顔に出さないことが習慣になったとしても不思議ではない。

プライスの観察が一段落するのを見計らったように、老人の方から口を開いた。

「亡くなった有崎子爵様の生前のご様子について取材したい——確か、そんなお話でしたな？」

プライスは湯呑み茶碗を卓上に置き、ゆっくりと頷《うなず》いてみせた。

有崎直哉《なおちか》子爵。

明治新政府樹立の際に功績を認められて新華族となった、所謂《いわゆる》〝武家上がりの勲功華族〟の一人だ。

新政府では陸軍に籍を置き、軍制を学ぶために数年にわたって欧州に派遣された。

帰国後、数年で陸軍退役。退役時の階級は少将である。

若くして妻を亡くした後は再婚せず、周囲の勧めにもかかわらず養子も取らなかった。

死後、遺言により爵位を返上。有崎子爵家は断絶した。


プライスはノートを取り出し、里村老人から話を聞く前に、調査内容を確認した。

その中には「極めて優秀。だが、かなりの変人」という噂も含まれている。

里村老人には事前に「欧州で有崎子爵と親交のあった英国人たちの間で、昨今彼を懐かしむ声が高まっている。帰国後の子爵の暮らしぶりを追跡取材し、記事を書いて本国の新聞に掲載したい」と伝えてあった。

それらしく、帰国後の有崎子爵の思い出話、興味深いエピソードなどをひととおり聞き取った後、プライスはノートに視線を落としたまま、ついでといった様子で本題に入った。

「調査の過程で、ひとつ妙な噂を耳にしました。何でも、亡くなった有崎子爵には隠し子がいたというのですが……」

目を上げると、里村老人はニコニコと笑いながら首を傾げている。話の行方を見定めているようだ。

「数年間、お屋敷で子供が教育されていたという証言があります。もしその子が、有崎子爵の隠し子だったのなら、なぜ彼に爵位を継がせなかったのです？ そうすれば有崎子爵家は断絶することもなく、あなたも立派なお屋敷で余生を送れていたでしょうに」

「あなたはきっと、晃《あきら》様のことをお聞きになったのですね」

「アキラ？ その子はアキラというのですか？」

プライスはそう言いながら、手元のノートに素早く目を走らせた。

有崎晃？

疑問符つきながら、そう記されている。

間違いない。ここまでは調査どおりだ。問題は――。

「いったい、その子は何者だったのです？」

プライスは高まる動悸《どうき》を抑え、何げない様子で質問を続けた。

「有崎子爵家断絶後、彼がどうなったのか――今どこでどうしているのか、教えてもらえないでしょうか？」

里村老人が一瞬きつく目を細めた。どうしてそんなことを聞くのか、と不審がられるかと思いきや、意外なことに老人はにこりと笑って話し始めた。

＊

当時目白《めじろ》にあった有崎子爵邸にその子が連れて来られたのは、明治二十九年の或《あ》る寒い冬の日だった。「ちょっと軍の用で出てくる」そう言って外出した有崎子爵が、幼い子供の手を引いて帰ってきたのだ。

「今日からここが貴様の家だ」

玄関に迎えに出ると、子爵が子供に向かってそう言い渡すところだった。

里村は当時四十代。家令としてお屋敷に勤め始めたばかりだった。どう対応してよいかわからず、目を白黒させていると、子爵はニヤリと笑い、つないでいた子供の手を里村に渡した。

「とりあえず風呂《ふろ》に入れてやってくれ」

そう言った時にはもう、有崎子爵は何事もなかったかのように歩き出していた。

「それから着替えだ。そう汚くては、一緒に飯を食うわけにもいかないからな」

里村は振り返り、その子がひどく汚れた恰好《かっこう》をしていることに初めて気づいた。と同時に、継ぎの当たった襤褸《ぼろ》をまとい、泥に汚れたその子の顔には、しかし、どこか毅然《きぜん》とした、貴族的と言える雰囲気が備わっていることにも。

里村は戸惑いながら、腰を折り曲げ、子供と同じ目の高さになって尋ねた。

「お名前は何とおっしゃるのです？」

――アキラ。

子供は短くそう答えたきり、後は何を聞いても唇をきつくかみしめ、じっと前を見つめているだけだった。

その日からお屋敷では、その子を中心とした奇妙な生活が始まった。

若くして妻を亡くした後、有崎子爵は広い屋敷で使用人を使いながら、一人暮らしを続けていた。

有崎子爵は上背のある、体格の良い人物だ。日本人離れした彫りの深い整った顔をしており、性格は豪放磊落《ごうほうらいらく》。一方で世の中を斜《はす》に見る冷笑的なところもあり、そのせいか女性にはひどくもてた。陸軍から外国に派遣された際には、むこうの女性と散々浮名を流したという噂だ。帰国後も新橋界隈《かいわい》で派手に遊んでいる。

その子爵が突然、幼い子供の手を引いて屋敷に連れ帰ったのだ。外で芸者に生ませた子供を引き取ることになったのだろう。周囲の者たちがそう推測したのは当然だった。

　子爵は、しかし、誰に尋ねられても、ニヤニヤと笑うばかりで詳しい事情を話そうとはしなかった。

　一方、小汚い恰好で連れて来られた子供は、風呂に入れ、ちゃんとした服を着せると別人のようになった。屋敷を訪れた者がどこの若様かと見間違えたほどだ。子供だから線は細いものの、日本人離れした彫りの深い整った顔立ちは子爵に似ていなくもない。

　晃《あきら》様。

　お屋敷に引き取られた子供は、周囲の者たちから便宜上そう呼ばれることになった。書類上必要ある場合は「有崎晃」と記された。が、戸籍の上では晃は有崎子爵の籍に入ってはいない。

　有崎子爵には爵位を継ぐべき子供がいなかった。周囲の者たちは、当然子爵が（どこから連れてきたのかはわからないが）晃を養子にするつもりなのだと思った。だが子爵は、周囲がいくら勧めようとも、晃を養子にする戸籍上の手続きを取ろうとしなかった。理由は話さない。ただ、ニヤニヤと笑って言を左右にするばかりだ。子爵の態度に周囲の者たちは首を傾げた。「晃様は本当は宮様《みやさま》の御落胤《ごらくいん》なのだ」、あるいは

「陸軍時代に親しかった友人の子供を預かっている」、そんな噂がまことしやかに囁《ささや》かれたが、真偽のほどは確かめようもなかった。

どんな経緯があったにせよ、その後子爵が養い子の教育に示した情熱は周囲の者たちを呆《あき》れさせるほどだった。国籍も人種も異なる様々な種類の家庭教師が次々にお屋敷に呼ばれ、幼い晃の教育に当たることになった。

晃が示した学習能力もまた、周囲の目を見張らせるに充分であった。

例えば、教育係兼語学教師としてお屋敷に呼ばれた英国人女性ミス・ヘイズ。彼女は幼い晃に対して、ほとんど恋愛にも似た熱狂を示した。晃は、ミス・ヘイズが教える英国風のマナーに加えて、彼女が話す英語をあたかも乾いた砂が水を吸い込むように習得した。アノ子ニハ天才的ナ語学ノ才能ガアリマス。ミス・ヘイズは頬を染めて子爵にそう報告した。一年後にはミス・ヘイズの英語に加えて仏語と独語、さらにその翌年には露語、中国語を教える別の家庭教師がつくまでになった。語学だけではない。数学や歴史学、物理、化学、その他様々な専門家がお屋敷に呼ばれ、晃の教育係を務めた。

家庭教師たちが教え得ないものは、子爵自身が教えた。

晃が八歳になると、子爵は家庭教師たちによる授業が終わった後、しばしば広大なお屋敷内に作らせた武道場に晃を呼び付けた。防具をつけ、竹刀《しない》でたたき合うようなやわな稽古《けいこ》ではない。素面に素胴、木刀で斬り結ぶ実戦的な格闘術だ。一歩間違えば命を落としかねない危険な稽古を、子爵は実際に戦場で命を懸けて戦った者だけがもつ激しさをもって、徹底的に養い子にたたき込んだ。最初の頃、晃の体のあちこちにしばしば青痣《あおあざ》が見られた。足をひきずり、額が割れて血が噴き出したこともあった。だが、晃は一度も弱音を吐かなかった。

やがて稽古の後、子爵が苦笑とともにかかりつけの医者を呼びつけ、自分の手当てをさせるようになった時点で、晃の方から稽古の終了を申し出た。

お屋敷でのこの奇妙な教育は、晃が十三歳になるまで続けられた。

晃は端整な顔立ちながら能面のように無表情、何を考えているのか周囲の者には理解しがたい少年に成長する。

里村はお屋敷付きの家令として、晃の成長する様を陰ひなたに見守ってきた。晃の方もまた、里村にだけは心を開き、里村のことを「爺《じい》」と呼んで無邪気な笑顔を見せることもあった。

十三歳の時、晃は子爵の指示で陸軍幼年学校を受験する。

結果は、全受験者中トップの成績であった。

「『それじゃ、爺、ちょっと行ってくる』。……あの日も晃様は、何でもないように私にそう言ってお屋敷を出て行かれたのです」

里村老人は当時の様子を思い出すように、目を細めて言った。

「ああ、この方はきっと偉い軍人さんになられる。そう思いました。何しろ晃様には物事に動じない人並み外れた胆力に加えて、物事の裏を一目で見抜く観察眼がありました。いえ、これは決して私のひいき目などではなく、家庭教師としてお屋敷に呼ばれた学のある方たちが、みなさん口を揃えてそうおっしゃったのです。『この子は将来必ず出世する。軍人なら元帥《げんすい》にまで上り詰めるだろう』と。それが、まさかあんなことに……」

里村老人は急に顔を曇らせると、それきり、ふっつりと口を閉ざしてしまった。

プライスはもどかしい思いで口を挟んだ。

「記録によれば〝有崎晃〟は陸軍幼年学校を二年で退学になっています。彼の身にいったい何があったのです？」

里村老人は眉を寄せ、不思議そうにプライスを眺めた。

5

「晃様のことをお調べになっているのですか？　私はてっきり、亡くなった有崎子爵様についての取材だとばかり……」

「いや、彼について調べているわけではなく……日本での有崎子爵の生活に興味深い補足記事が書けるのではないかと思って……」

プライスはしどろもどろに答えた。失言を糊塗《こと》すべく、急いで言葉を重ねた。

「どうか続きを聞かせて下さい」

*

――有崎晃ヲ退学ニ処ス。

陸軍幼年学校から退学通知書を受け取った際、有崎子爵は内容を一瞥して、ふんと鼻先で軽く笑っただけだった。「迎ヘノ者ヲ差シ向ケラレ度《た》シ」との通知書の指示にも、「放っておけ」と言うだけで、事情を問い合わせようともしない。まるでこうなることを予想していたような口ぶりだ。

里村としては、だが、このまま放っておくわけにはいかなかった。

結局自分から申し出て、晃の身柄の引き受けに行くことにした。

幼年学校に出向き、校長から直々に事情を聞いた里村は耳を疑った。

退学の原因は生徒間の喧嘩沙汰《ざた》だという。

十五歳とはいえ、所詮《しょせん》は子供同士の喧嘩である。そんなことで一々退学にしていたのでは、学校から生徒がいなくなってしまうのではないか？

恐る恐るそう尋ねると、校長は長いカイゼル髭《ひげ》をひねりながら平然とした様子で答えた。

今回退学処分となるのは晃君一人である。喧嘩相手は四人とも謹慎処分だから、その点はご心配には及ばない、と。

里村は今度こそ唖然《あぜん》とした。

一対四の喧嘩。

喧嘩相手の四人を処罰するならわかる。なぜ晃様だけが退学で、相手の四人が謹慎処分なのか？

顔色を変えて問い詰めると、校長は顔をしかめ、渋々詳しい事情を説明してくれた。

事件が起きたのは三日前の夕刻。

校内巡回中の教官の一人が騒ぎを聞いて武道場裏に駆けつけたところ、四人の生徒が白目をむき、うめき声をあげながら地面に転がっていた。そして、彼らの傍らで、晃少年が血に染まった、だが、ひどく冷めた顔で立っていたのだという。

「顔についていたのは彼自身の血だった。腕や胸など数箇所に傷を負っていたのだ。

どうやら喧嘩相手がナイフを取り出して、それで刺されたものらしい」

校長はそう言うと、思わず腰を浮かしかけた里村を遮るように片手を挙げて続けた。

「ナイフといってもなまくらでね。晃君の傷はいずれもたいしたことはない。かすり傷程度だよ。むしろ問題は、相手の生徒たちの方だ」

四人に取り囲まれた晃は、掌中に隠し持った砂で彼らの視界を奪った上、相手の急所——金的《きんてき》——に痛烈な打撃を加えた。四人とも、いまだにベッドから起き上がれない有様だという。

「すると晃様は、喧嘩が強すぎたから退学になるとおっしゃるのですか？」

「強い弱いの問題じゃない。これは軍人としての精神の話だ」

校長は不快げに眉を寄せて言った。

「子供同士だ。喧嘩、大いに結構。雨降って地固まるの譬《たと》えもある。喧嘩がきっかけで莫逆《ばくぎゃく》の友となる場合もあるだろう。だが、それも正々堂々と立ち向かっての話だ。隠し持った砂で目潰《めつぶ》し？　その上、金的攻撃だと？　卑怯極まりない！　軍人としてあるまじきやり方だよ。わが校では、畏《おそ》れ多くも天皇陛下にお仕えする軍人の教育をしているのだ。卑怯な精神を持つ者はわが校の生徒として相応《ふさわ》しくない——そういうことだ」

校長室の扉が開き、晃が姿を現した。袖《そで》まくりした二の腕には何箇所か絆創膏《ばんそうこう》が見えた。

「彼を連れて帰りたまえ」

校長は汚いものでも追い払うように手を振って言った。

目白のお屋敷に帰る間、晃は奇妙なほど穏やかな顔をしていた。無口ではあったが、それはいつものことだ。里村の方がどう声をかけて良いかわからず、口を開いては閉じていたが、その内、ふと思いついて尋ねた。

「晃様、私が差し上げたナイフはまだお持ちですか？」

「妙なことを聞くね、爺？　もちろんだとも」

晃はそう言って、胸ポケットから小型の折り畳み式ナイフを素早く取り出した。柄に螺鈿《らでん》細工を施した見事な品は、陸軍幼年学校入学の際、里村が記念に贈ったものだ。

晃が手の中で一振りすると、磨き上げた刃が陽光を反射してきらりと光った。

「このとおり、いつも肌身離さず持っている」

それをお持ちでしたのなら、と里村はため息をついて尋ねた。

「四人の生徒さんに囲まれた時に、なぜ出さなかったのです」

晃がそのナイフを取り出せば、実際に使わないまでも、相手は怖《お》じけづいて引き上げたかもしれない。相手は四人、しかも先にナイフを出したのだ。卑怯の言葉はあたるまい。

晃はまたナイフを一振りすると、手品のごとき器用さで刃を収めた。そして、薄い唇の端に微《かす》かな笑みを浮かべて言った。

「爺にはわかるまいが、彼らは一対一の時はともかく、集団になるとなぜか急に死ぬのを怖がらなくなる癖がある。あの学校でそう教育されているんだよ。もし僕がナイフを出せば、きっと死人が出ただろう。殺すのは最悪の選択だ。もちろん自分が死ぬのもね。だから僕はあくまで素手で通すことにしたんだ」

6

——陸軍幼年学校を退学になった後、有崎晃は英国に留学した。

タイプライターのキーを叩《たた》いてそう打ち込んだプライスは、煙草の火が消えていることに気づいて手を止めた。

缶から新しい煙草を取り出して、火をつけた。

一服吸って周囲を見回すと、いつの間にか誰もいなくなっていた。

壁の時計は午前三時を回っている。

みんな帰って当然だ。

プライスは苦笑して、大量のメモが雑然と散らばる机の上を見渡した。里村老人から聞いた情報、その他の資料をまとめている内に、ついついこんな時間になってしまった。

家に連絡を入れるのを忘れていた。

またエレンに叱られるな。

妻の怒った顔が脳裏に浮かび、プライスは思わず肩をすくめた。あれで意外に気の強いところがある。今度は何を言われるのか、考えただけで憂鬱《ゆううつ》になった。

だが、今はそれどころではなかった。

プライスは煙草をくわえたまま、作成中の報告書に視線を向け、満足げに目を細めた。

日本帝国陸軍内に密かに設立された謎のスパイ養成組織、通称〝D機関〟。

軍外の者たちを集めてスパイを養成する、日本の軍隊ではおよそ考えられなかった〝掟《おきて》破り〟の異形のスパイ機関だ。実際、いまこの瞬間にもD機関の者たちが各国の機密情報を盗み出し、思いもよらぬ方法で日本に情報をもたらしているという――。

情報戦略を軽んじ、スパイの存在など歯牙にも掛けない日本陸軍の中で、目に見えない情報戦をたった一人で戦っている男がいる。

結城中佐。

彼についてわかっている情報はそれだけだ。否、結城という名字《ファミリーネーム》も、中佐の階級すら、確かではない。

〝Fnu Nmi Lnu〟

ファーストネーム・アンノウン、ノー・ミドルイニシャル、ラストネーム・アンノウン。

それがスパイにとっての最高の墓碑銘なのだという……。

(だとしたら、気の毒だったな)

プライスは灰皿に火のついた煙草を押しつけ、ニヤリと笑った。

タイプされた報告書の束を取り上げ、うっすら積もった煙草の灰を慎重に手で払い除けた。

頁《ページ》を捲《めく》り、もう一度、要点を確認する。

有崎晃は、日本帝国陸軍幼年学校を退学後、英国に留学。

その後、彼がどうしていたのか詳しいことはわからない。

ただ、半年に一度の割合で里村老人に絵葉書が届いている。

文面は素っ気ない紋切り型。

だが、消印から、それらの絵葉書がロンドン、パリ、ベルリン、カイロ、イスタンブール、その他世界各地の様々な場所で投函《とうかん》されていることが判明した。

帰国は一九一二年に一度きり。明治天皇の後を追うように亡くなった有崎子爵の葬儀のためだ。

数年ぶりに里村が目にした晃は、上背のある青年に成長していた。二十二歳。よく日焼けした彫りの深い端整な顔。痩《や》せぎすと言って良いほどの細身の体は、研ぎ澄まされたナイフを思わせる。

英国仕立ての黒のスーツを身にまとった晃の姿は、葬儀の場に集まったご婦人方の注目をいやでも集めた。あの青年は何者なの？　葬儀の場のあちこちでそんな声が囁かれた。答える声は、しかし、一つも無かったはずだ。奇妙なことに、成長するに従って晃の外見からは、有崎子爵との共通点がほとんど感じられなくなっていた。また里村ら幼少時の晃を知る数少ない者たちに対して、子爵と彼との関係を口外せぬよう、晃自身が強く命じていたのだ。

葬儀の後、晃は子爵の遺言に基づいて家屋敷を売り払い、その大部分を使用人に配分。残りを慈善団体に寄贈した。

晃の取り分は皆無であった。

有崎子爵はなぜか遺言状の中で、晃を遺言執行人として指名する一方で、彼に遺《のこ》すべき財産については一言も触れていなかったのだ。

有崎子爵家の資産をきれいさっぱり処分し終えた後、晃は里村に会いに来た。

「爺、これまでいろいろと世話になったな」

そう言った晃は、聞けば今夜の船で欧州に戻る予定だという。

「これからどうなさるおつもりなのです？」

里村はおろおろとしながら尋ねた。里村には早めの隠居をしても困らないだけのものが贈られていた。一方晃は、これからたった一人で、一文なしでやっていかなければならないのだ。おこがましいようですが少し援助させて頂けないでしょうか？　里村の提案は、だが、たちどころに一笑に付された。

「もう子供じゃないんだ。自分のことくらい自分でどうにかするさ」

「しかし晃様、そうは申しましても……」

里村がなおも渋っていると、晃は帰国してからずっと冷ややかだった顔をわずかに緩め、口元に皮肉な笑みを浮かべてこんなことを言った。

「爺、おれは向こうで出世したよ。だから心配ない」

向こうで？　出世した？

意味がわからず、目を瞬かせた。すると晃は、初めて出会った時とは逆に、腰を折り曲げ、里村の耳元に顔を寄せて小声でこう言ったという。

「周りの者たちはみな、おれのことを〝公爵〟と呼んでいるんだ」

手を組んだ。
プライスは手にした報告書を机の上に投げ出し、椅子の背にもたれて、頭の後ろで
間違いない。

＊

プライスは〝特ダネ〟をものにした己の幸運を祝福した。

そのことに気づいたのはほんの偶然だった。

きっかけは、妻エレンの読み間違いだ。

日本語で書かれた挨拶状を見て、エレンは「さんじゅうに引っ越した」と読んだ。

それでは意味が通らない。実際は「三重《みえ》に引っ越した」だった。

なるほど三重は「さんじゅう」とも読むが、この場合は「みえ」と読む……。

説明しかけて、ハッとなった。

異形のスパイ組織〝D機関〟をたった一人で率いる結城中佐。彼が佐官クラス以上の高級将校であるのは間違いない。ならば、過去に陸軍幼年学校や士官学校、あるいは陸軍大学校に必ず籍を置いていたはずだ。それにもかかわらず、在籍者名簿をいくら調べても〝結城〟の名前は見つからなかった――。

煙に巻かれたような気がしていたが、本当は名簿の中に彼の名前を見ていながら、見落としていたのではないか？

漢字には幾つかの読み方がある。逆に、同じ読みでも異なる表記が存在する。

その点に注目して、プライスは該当の在籍者名簿をもう一度一から洗い直した。そして、見つけたのだ。

陸軍幼年学校をトップの成績で合格しながら二年で退学になった人物、有崎晃の名前を。

〃有崎《アリサキ》〃は〃ユウキ〃と読み換えることができる。

現在日本に駐在する外国人記者でそのことに気づくのは、おそらくプライスただ一人だろう。いや、それを言えば、日本人にとってはファミリーネームの読み換えはむしろ盲点になって気づかないのではないか？　つまりこれは、外国人でありながらサインに〃阿龍〃の字を用いるほどの日本通、プライスのような人物だけが気づき得る特ダネなのだ。

尤も、これだけでは単なる情況証拠に過ぎない。

そこでプライスは、有崎晃をもっとも良く知る人物、即ち有崎子爵家で長年家令を勤めた里村老人に白羽の矢を立てた。亡くなった有崎子爵の取材と称して老人に近づき、有崎晃についての個人情報を聞き出そうと考えたのだ。結果は――。

里村老人から聞き出した有崎晃のエピソードは、まさにプライスが思い描く結城中佐の子供時代そのものだった。明治新政府樹立の功労者にして陸軍少将でもあった有崎子爵のつてがあれば、軍人としての道を歩み始めることはさほど困難ではなかったはずだ。高級将校でありながら、士官学校や陸軍大学校の在籍者名簿に名前がないのも、それで一応説明がつく——。

プライスは今回の取材が〝当たり〟であることを、途中からほぼ確信した。

決定的だったのが、有崎子爵葬儀の際、一時帰国した晃が里村老人に漏らした台詞だ。

「周りの者たちはみな、おれのことを〝公爵〟と呼んでいるんだ」

里村老人が最後に披露してくれたこの挿話を耳にした時、プライスは一瞬、脳が揺さぶられたような衝撃を受けた。その後、何とか平静を保ったまま里村老人宅を辞することができたのは我ながら上出来だ……。

プライスは椅子の背にもたれたまま、立ちのぼる煙に目を細めた。

公爵。

英語でデューク。

頭文字はDだ。

——つながった。

今度こそ確信が腹の底から浮かんできた。

長年極東で特派員を務めてきた新聞記者としての勘——。それだけではない。

里村老人の客間に一枚の古びた集合写真が飾ってあった。

見せてもらうと、セピア色に変色した写真の隅に小さく写っているのが、英国に留学して間もない頃の晃だという。一緒に写る少年たちが着ているのはイートン校の制服だ。有崎子爵は、日本の陸軍幼年学校を退学になった晃を、英国の名門パブリック・スクールに押し込んだものらしい。

すっかり変色した写真に顔を寄せたプライスは、ふと、晃少年の背後に立っている人物に視線を引き寄せられた。

もう一度見直し、その事実に気づいて思わず声を上げるところだった。

黒い顎髭《あごひげ》をつけて変装しているが、間違いない。

晃少年の背後に保護者然として立っている、でっぷりと太った大柄な人物は、マンスフィールド・カミング海軍大佐。〝C〟と呼ばれた人物だ。

英国秘密情報部、即ちMI6の初代機関長。

〝C〟の通称は、署名の際、必ず緑のインクを用いてイニシャルのみを記したからだ。

MI6初代機関長としてカミングは、情報活動に必要な暗号、拳銃《けんじゅう》、ナイフ、カメラ、隠しインクなど諜報用の特殊器具、及び情報員が携帯する無線機などの一般装備品の整備に尽力した。今日《こんにち》世界の裏側で繰り広げられている情報戦において、英国が一歩先んじていられるのは彼のお陰と言って過言ではない。

有崎子爵は、こともあろうに晃少年の英国での後見人をカミングに依頼していた。想像だが〝C〟は、晃少年の資質を見抜き、自分の下に引き抜いてスパイとしての訓練を施したのだろう。だとすれば、有崎晃は英国の伝説的スパイ・マスターから直々に訓練を受けたことになる。里村老人への絵葉書が世界各地から投函されていた理由もそれで納得がいく——。

日本と英国との関係が良好だった当時だからこそ有り得た事態だ。亡くなった有崎子爵と〝C〟との関係は不明だが、子爵が明治政府から欧州に派遣された際、はみ出しものの軍人同士、何らかの接触があったのかもしれない……。

プライスは誰もいないオフィスで歴史の皮肉に思いを馳《は》せた。

今や日本と英国は敵同士となり、日本のスパイ組織を率いる結城の過去を、英国人であるプライスが追っている。

プライスはやれやれとため息をつき、首を振った。歴史の皮肉。まさにそうだ。もう一度周囲に目を走らせ、誰もいないことを確認して、プライスは独りごちた。

——まさか、同じ人物に訓練を受けたスパイだったとはな。

7

スカウトされたのは、新聞社の特派員としてボンベイ支局に勤めていた時のことだ。一時帰国した際、プライスは突然、英国外務省から呼び出しを受けた。実際に指定されたロンドンの事務所に行くと、待っていたのは制服姿の現役の海軍大佐だった。訳がわからぬまま、プライスは厳しい尋問を受けた。最後になって相手は不意にこれ以上ないという優しい笑みを浮かべ、手を差し伸べてプライスにこう言ったのだ。

「ようこそＭＩ６へ」

相手がＭＩ６長官、通称〝Ｃ〟と呼ばれる人物であることを知ったのは、その後だった。

プライスはいったん新聞社を退社し（理由は「株で大儲《おおもう》けをしたため」）、〝Ｃ〟の下でスパイとしての訓練を受けた。一年後、プライスは新聞社に復帰（理由は「株で大損したため」）、極東特派員として香港に派遣された。

その後は、新聞記者という表の顔とスパイとしての裏の顔を使い分けながら、極東地域を渡り歩いた。

日本に来たのも、日英同盟が破棄された後、急速に悪化した外交関係を受けてMI6が日本の最新情報を欲しがったためだ。

プライスが日本という国を愛したのは本当だ。清潔な町並み、几帳面で親切な人々、穏やかな笑顔。引退後はこのまま日本に永住することも考えたほどだ。

だが、十年前の日本を愛するプライスにとって、現在の日本は文字どおり〝敵国〟にほかならなかった。

新聞記者としてのプライスは、来日当初から日本に好意的な記事を次々に本国に書き送った。そのせいで日本嫌いの英国人の間では〝プライスは日本の犬だ〟と言われている。プライスは書いた記事を本国に送る前に日本の官憲に進んで提出し、検閲を受けた。指摘を受けた箇所は文句一つ言わずに書き直した。お陰で、日本の政府、官憲たちからも「親日的記者」と目され、他の外国人新聞記者たちに比べて監視もいくらか緩くなっている。

すべて、スパイとしての裏の活動をやりやすくするための伏線だった。

この十年で、プライスは日本国内に密かに独自の情報網を張り巡らせた。

港湾作業員から財閥秘書、宮中の女官まで。

〝資産《アセット》〟と呼ばれる協力者たちから集めた情報を、新聞記事とは異なるやり方で英国に送り続けた。プライスがMI6のスパイであることは、駐日英国大使さえ知らないはずだ。

これまでプライスは、日本軍の編制、配置、移動、中国戦線における陸軍の作戦、海軍艦隊の行動予定、日本の輿論《よろん》、少数意見に至る、実に様々な情報を密かに英国に送り届けてきた。

だが、今度の〝特ダネ〟――結城中佐の過去――は、謎に包まれた日本陸軍のスパイ機関を解明する唯一の突破口だ。これまでのささいな情報成果などとは、比べ物にならない意味を持つ――。

そう考えてきて、プライスは眉を寄せた。

一つ気になることがあった。

ここまでの感触では、プライスの調査でほぼ間違いない。

有崎《ありさき》晃、イコール、結城《ゆうき》中佐。

だが、そう結論付ける前に確かめておかなければならないことがあった。

有崎晃の現在。彼は今、どこで何をしているのか？

それとなく尋ねたところ、だが、急に里村老人の態度が変化した。少年時代の晃の話をしている間は、ひどく懐かしげに、浮き浮きと楽しそうな表情だった里村老人が、現在の話になると途端に口数が少なくなった。そわそわした態度で視線が泳ぎ、表情が強《こわ》ばっている。

老人が何かを隠しているのは明らかだった。拒絶されない程度に遠回しに質問して、曖昧《あいまい》な答えから何とか事実と思《おぼ》しき推測を幾つか引き出した。

一、里村老人は、ここ何年も晃と言葉を交わしていない。

二、一方で、老人は最近晃を見ている。

三、晃は今、以前とは別人のように見える。

四、彼が変わったのは、欧州で行われた先の世界戦争末期。ドイツで何かがあった？

その辺りが限界だった。

里村老人は晃の現在については口を濁し、はっきりとは答えようとしない。

恐らく口止めされているのだろう。ならば——。

逆から攻めるまでだ。

プライスはいったん自宅に戻り、持ち帰った報告書に今一度向き合った。

有崎晃が英国に留学したのは一九〇六年。

英国秘密情報部が陸軍省情報部から分離し、諜報機関として独立したのは一九〇九年だ。

初代機関長に就任したカミング海軍大佐は、スパイの人選と教育、運用については独自のやり方を貫き、余人には一切口を挟ませなかったという。

黎明《れいめい》期のＭＩ６に晃と思しき東洋人が存在したか否か？

残念ながら、カミング大佐は既に亡くなっている。

ＭＩ６本部に直接問い合わせるしかなかった。逆に、その点が確認できなければ、折角の特ダネも結局は砂上の楼閣ということになりかねない。

プライスが用いている通常のルートでは、問い合わせに時間がかかり過ぎる。駐日大使に依頼して外交行嚢《こうのう》を使えば時間は短縮できるが、そもそも大使はプライスの正体を知らないのだ。接触は極力避けたかった。

——やるか。

プライスは心を決め、床の間に置いた旧式のラジオに目を向けた。

ラジオに偽装してはいるが、ＭＩ６から支給された高性能の無線電信機だ。特殊な周波数で発信される電信はスパイの身分証明として機能し、受け取った側で直ちに行動が開始される。日常的に使ったのでは日本側に検知される恐れがあるので、特別な場合のみ使用を許可されていた。

外国人記者は全員日本の官憲の監視下にある。とはいえ、彼らが在宅中に無闇に踏み込んで来ることはないはずだ。そんなことをすれば外交問題に発展する（尤も、留守宅にはこれまでに何度か入られたことがあった)。日英関係は悪化しているとはいえ、未だ戦争状態にあるわけではない。はっきりした証拠でもないかぎり、「親日的外国人記者」であるプライスが突然の家宅捜索を受ける可能性はごく低かった。

深夜。

エレンが寝静まるのを待って、プライスは密かにベッドを抜け出し、作業を開始した。

ドライバーでネジを外して、ラジオ外枠の鉄製のカバーを開ける。もう一段、目立たぬ場所に今度は逆回しのネジが付いている。露《あらわ》になった回路を、先の細いラジオペンチと迂回《うかい》用のクリップで繋《つな》ぎ合わせた。

ここまでわずか五分。

即席の特殊電信機を使って、予《あらかじ》め作成しておいた暗号文を打電し、その後ラジオを元通りに戻して、再び何食わぬ顔でエレンの隣に潜り込む。

全部合わせても三十分以内で済むはずだ。リスクは限りなく小さい——。

そのはずだった。

プライスが暗号文を打電し始めてすぐ、裏口が騒がしくなった。

エレンの悲鳴に振り返ると、憲兵隊が家の中に土足で踏み込んでくるところだった。

たちまち家中を占拠した軍服姿の男たちの背後から、隊長らしき人物がのそりと歩み出た。

彼は茫然としているプライスと机の上の電信機をじろりと一瞥し、無表情に振り返って、部下に命じた。

「スパイ行為の現行犯だ。こいつを逮捕しろ」

8

なぜこんなことになった？

プライスは茫然となりながら、耳元でがなりたてられる耳障りな日本語をひどく遠いものに感じていた。

机の上に置かれた両手には頑丈な鋼鉄製の手錠が掛けられている。

なぜだ？　なぜこんなことに……いったい、どこで間違った？

答えの出ない問いが、さっきから頭の中で渦を巻いている。

これまでにも何度か危機はあった。一度などは取材禁止地域の基地周辺で尋問を受けたこともある。プライスはそのたびに何とか理由をつけてのらりくらりと言い逃れてきた（「電車の中でうっかり寝込んでしまい、起きたら終点だった。申し訳ない」）。自分からカメラを差し出し、持っていたメモ類を尋問者の目の前ですべて破いてみせたこともある。無論、いずれも実際のスパイ行為を隠蔽《いんぺい》するための偽装工作だ。普段から日本政府の意向どおりに記事を書くことで「親日派」と目されている。日本の外務省に友人も少なくない。多少の疑惑であれば、彼らの口利きで〝何かの誤解〟として済ますことも可能だろう。しかし──。

今回は現行犯だ。

ラジオに偽装した特殊電信機、さらには打電中の暗号文という動かぬ証拠まで押さえられた。どんな言い逃れも通用しそうにない……。

悪名高い日本の憲兵隊の取り調べは、噂に違《たが》わず苛烈《かれつ》を極めた。

否認の言葉を口にするたびに耳元で怒鳴られ、椅子を蹴飛ばされて床に転がった。尋問者が次々と入れ替わり、少しの休憩も許されない。

取り調べというよりは、もはや拷問だった。

拳《こぶし》や竹刀で直接殴打されなかったのは、プライスが外国人だからだろう。床に転がってできた打ち身傷なら、後で問題になっても〝自分で転んだのだ〟と言い張ることができる。

外部との接触は完全に断たれた。

ぶっとおしの尋問に何度も気を失いそうになりながら、プライスは懸命に頭を働かせた。

あのタイミングで憲兵隊が踏み込んできたのは、よほど精度の高い情報がもたらされたからに違いない。

プライスの行動を監視していた者がいる。

思いつく相手としては、一人しかいなかった。

結城中佐。

プライスが追っていたはずの人物だ。どこで立場が入れ替わったのか？

耳の奥に、十何年かぶりに〝C〟の言葉が聞こえた。

——利口な獣は追われていると知りながら、猟師を破滅に導くことができる。

無類の格言好きだった〝C〟が好んで使った譬え話だ。結城は恐ろしく利口な獣だったということか。だとすれば……。

猟師の破滅。

それが何を意味するか想像して、プライスは総毛立った。

結城の狙いは恐らく、プライスが日本で獲得した協力者《アセット》たちだ。尋問者の言葉の端々から、既にプライスと接触があった人物は順次憲兵隊に引っ張られて、厳しい尋問を受けているらしきことが窺《うかが》われた。このままでは、この国でプライスが積み上げてきたものが全て消え失せる。そんな事態だけは、何としても避けなければならなかった――。

ふと、頬に涼しい風を感じて、目を上げた。

視界に飛び込んできたのは眩しいばかりの青空だ。

――そうか……もう夏だったな。

プライスはぼんやりと考えた。

憲兵隊本部、最上階五階の取調室。

大きく開け放たれた窓からは、蟬の声がうるさいほど聞こえている。

やはり、それしか道は残されていなかった。

「煙草を、一本くれないか」

顔を上げ、尋問者に言った。

黙秘を続けてきたプライスが初めて自分から口をきいたことに、尋問者は一瞬訝《いぶか》しげな顔になった。

「降参だ。すべて話すことにするよ」

神妙な顔で言うと、相手はほっとした様子でチェリーの箱を差し出した。礼を言って一本取り、火をつけた。

煙の行方を目で追いながら、プライスは皮肉な思いに駆られた。結局は何も残らない。この煙草と同じだ。胸一杯に煙を吸ってみたが、美味《うま》くもなんともなかった。

ポケットの中の遺書の存在を今一度確かめる。

「私はもうだめだ。憲兵隊では良いもてなしを受けた。感謝している」

折り畳んだメモ用紙にそう記してある。隙《すき》を見て、さっき英語で走り書きしたものだ。

――これさえあれば……後は何とかなるだろう。

プライスは覚悟を決めた。短くなった煙草を唇から離し、ぼんやりした様子を装いながら、辺りの気配を窺った。

煙草を投げ捨てると同時に椅子を蹴って立ち上がる。窓枠まで一歩半。部屋には尋問者を含めて三人。いずれもプライスのとっさの行動を妨げる位置にはいない。

息を詰め、まさに行動に移ろうとしたその時、突然、部屋の扉が開いた。

陸軍の軍服を着た若い男が一人、部屋に入ってきた。彼はちらりとプライスに目をやり、尋問者につかつかと歩み寄った。機先を制せられた形となり、プライスは一歩も動けなかった。

若い男が耳打ちすると、尋問者は驚いた顔になった。書類を見せられて、渋々頷いた。

「釈放だ」

尋問者がプライスに顔を向けて、苦々しげに言った。

「表に身元引受人が来ている」

釈放？　身元引受人？

意味がわからず、プライスはぽかんとなった。立ち上がろうにも、急に緊張が解けたせいか、腰が抜けたように動けない。

「何をしている。さっさと出て行かんか！」

尋問者が吐き捨てるように怒鳴った。

両脇から腕がさし入れられ、無理やり椅子から立ち上がらされた。

振り返ると、開け放った窓から眩しい青空が見えた。背後で扉が閉まり、うるさいほどの蟬の声が聞こえなくなった。

9

ベッドの上で痩せこけた男が眠っている。

二十年以上、彼はそうして一度も目を覚まさず、眠り続けているそうだ。医者は、彼がこの先目を開ける可能性はほとんど無いと言っている——。

説明を聞きながら、プライスはベッドの上の男を見つめて茫然となった。

馬鹿な……そんなはずはない。これが彼だと？　それならいったい、なぜ……。

すぐ傍らで声が聞こえた。

「ええ、今日は良い天気でございます。もうすっかり夏でございますね」

まるで相手が反応しているかのように小まめに声を掛けながら、かいがいしく眠る男の世話をする人物――。

彼がプライスをここに案内してきたのだ。


放り出されるように憲兵隊本部を釈放されたプライスは、表に小柄な老人の姿を認めて意外の感に打たれた。

身元引受人というからには、てっきり英国大使か、少なくとも妻エレンの姿を予期していた。里村老人がなぜ、憲兵隊に捕まったプライスの身元引受人なのか？

穏やかな笑みを浮かべた里村老人は、プライスの姿を認めるとペコリと頭を下げ、待たせてあった車に乗るよう促した。それからはほとんど説明もないまま、郊外の丘の上に建つこの療養所まで連れてこられたのだ。

里村老人はプライスを建物の中に案内すると、ベッドの上で眠る痩せこけた男を目で示して、

「晃様でございます」

と小声で紹介した。

晃様？

プライスは眉を寄せた。

ベッドの上で眠るこの痩せこけた男が、有崎晃だというのか？

そんなはずはない。

プライスは無意識に首を振った。有崎晃、即ち結城中佐は、いまも現役の陸軍軍人としてD機関を率いて諜報活動に暗躍しているはず……。

不意に、頭を殴られたような衝撃を受けた。

違うのか？

有崎晃、イコール結城中佐ではなかった。自分は有りもしない幻の蝶《ちょう》を追っていた……そのせいでスパイの正体を暴かれ、憲兵隊に捕まったというのか？

里村老人は慣れた様子で眠る男の世話をしながら、淡々とした口調で事情を話した。

先に欧州で行われた〝世界大戦〟の終結間際、晃は陸軍のオブザーバーとして戦場を視察中、ドイツ軍による毒ガス作戦に巻き込まれて昏睡《こんすい》状態に陥った。意識不明のまま軍艦に乗せられ、密かに日本に搬送された。だが、その後、陸軍病院は晃の受け入れを拒否した。正式な帝国軍人ではないというのがその理由だ。一方、一般の民間病院では〝前例がない〟あるいは〝手に負えない〟といって治療を断られた。晃を診察したある医者は、首を振り、「脳がやられている。死亡診断書を書きましょう」と言った。だが、里村にとっては、晃はあくまで生きた存在だった。自分で息をして、脈も感じられる。体も温かい。ただ目を覚まさないだけだ。どうして死んでいると言えようか。

眠り続ける晃を抱えて途方に暮れていたところ、ある人物が里村を訪ねた。

――欧州で彼と親しくさせてもらっていた者だ。

そう自己紹介した男は、見たところ晃と同年配。彼自身、包帯を巻いた片腕を吊《つ》り、顔半分には生々しい傷痕《きずあと》が見えた。

男はベッドの上で眠る晃にしばらくの間じっと視線を注いでいたが、里村を振り返ってある提案を口にした――。

「その方にご紹介頂いたのが、この療養所というわけです」

里村老人は眠る男の世話をひととおり終えると、そっと息をついて言った。

「ご覧のとおり、ここは篤志家の方が経営する個人的な療養所です。一般には公開していませんし、よほどのコネがない限り入ることもできません。月々の治療費も馬鹿にならないはずです――とても私などが賄える金額ではありません」

療養所を紹介した男が、以後すべての費用を支払っているのだという。

恐縮する里村に対して、男が出した条件は実に奇妙なものであった。

一つは、彼の名前を決して聞かないこと。そして、もう一つが——。

「その方は、晃様について将来誰かが調べにきた時、私が話すべき内容を教えたのです——晃様の〝新しい過去〟を」

里村老人はくすりと笑って続けた。

「それはもう、こと細かに。微に入り細を穿《うが》ちとは、きっとあのようなことを指すのでしょう。私が晃様の〝新しい過去〟を完全に覚えるまで、何度も何度も繰り返させられました。お陰で今ではすっかり身についてしまって、どれが晃様について本当にあったことなのか区別がつかないくらいです」

ゆっくり霧が晴れるように、真相がプライスの目の前に広がった。

結城は、将来、自分の過去を追う者が現れることを想定して手を打っていたのだ。そのいったいどうやったのかわからないが、結城は己の過去を完全に消し去った。その上で、己の過去を囮《おとり》にして、敵のスパイをあぶり出す手段とした。少しずつ偽の手掛かりを残し、わざと後を追わせた。有崎をユウキと読み換えさせ、里村老人に有崎晃の偽の過去を語らせた……。

獣の痕跡《こんせき》を追うのに夢中になった猟師には、必ず隙ができる。

プライス自身「有崎をユウキと読み換えることができるのは、外国人でありながら日本の漢字に通じた特殊な人物でしかありえない」そう思った。そこまで気づいていながら、目の前の特ダネを追うことに夢中で、背後の警戒が手薄になってしまったのだ。

真に利口な獣は偽の痕跡を追いかけさせることで猟師を罠《わな》にかけ、破滅させることができる。まさしく〝C〟の言葉どおりだ。だが——。

プライスは茫然となりながらも、まだ何か釈然としないものを感じていた。罠が仕掛けられたのは二十数年前。気が遠くなるほど昔だ。その時から結城は将来起こるかもしれない、この事態を予測していた？　そして、敵のスパイをあぶり出すために罠を起動させた？

何かおかしくはないか？

昨今では日本に留まる外国人の数は極端に少なくなっている。結城ほどの男であれば、タイムズ紙極東特派員プライスが、同時に英国のスパイであることは、これほどの手数を掛けなくとも突き止められるはずだ。違う。プライスをあぶり出すことが真の目的ではない。だとすれば、いったい……。

ハッとして、ポケットに手をやった。

——やられた。

いつの間にかポケットから遺書が消え失せていた。

「私はもうだめだ。憲兵隊では良いもてなしを受けた。感謝している」

英語で遺書を走り書きしたメモ用紙には、プライスが日本国内に張り巡らせた協力者の網の目、彼らとの接触方法、暗号名、安全を確認する合い言葉などが、特殊インクで細かく記されていた。

政界、財界、海軍、宮中に至るまで、十年がかりで作り上げた情報網を正確に把握しているのはプライスただ一人だ。現地協力者を知る者は少なければ少ないほど良い。スパイは自分の協力者を誰にも知らせない。それが協力者の安全を守る唯一の方法なのだ。

だが、深夜の突然の逮捕劇以来、プライスは外部との接触を完全に断たれた。記者としての経験から逮捕の事実が伏せられたことは容易に想像できた。一方で、日本側が彼の協力者をどこまで把握しているのかわからなかった。誰かがプライスに代わって協力者たちに警告しなければならない。彼らが証拠を隠し、消し、あるいは国外に逃亡する機会を与える必要があった。

尋問者の言葉の端々から、既に協力者たちに捜査の手が伸びていることが窺われた。

このままでは、十年の成果が壊滅するだけではない。プライスが張り巡らせた情報網が白日の下に晒《さら》されれば、日本国内の隠れ親英派は日本国民の憎悪の的となり、日英関係は完全に破綻《はたん》する。自分のミスのせいで、両国の外交関係は取り返しのつかない事態に陥る。それだけは何としても避けなければならない――。

　プライスに残された方法は、ただ一つであった。

　遺書を残して自殺する。

　逮捕の事実は伏せることができても、死は隠しておけない。

　取り調べを担当した憲兵隊は、プライスの自殺が外交上のトラブルに発展することを恐れ、遺書を見つけて安堵《あんど》するはずだ。「憲兵隊では良いもてなしを受けた。感謝している」〝取り調べにミスがなかった証拠〟として、彼らは必ずや慌てて遺書を英国側に差し出す。その際、紙そのものを調べられることは、まずあり得ない。

　プライスの死が明らかになれば、ＭＩ６本部は直ちに動き出す。大使から遺書を回収し、そこに特殊インクで記された日本の協力者たちに、それぞれ適切なアドバイスなり警告なりを発してくれるだろう。外交に致命的な疵《きず》を与える事態だけは避けられるはずだ――。

　そう考えての決断だった。

　だが、違った。

　逮捕時点で、日本側はプライスの情報網については何もわかっていなかった。プライスはスパイとして、完璧《かんぺき》に振る舞ってきた。そう簡単に尻尾《しっぽ》を押さえられるはずはなかったのだ。

——容易に見つけられないものは、隠した本人に持ち出させれば良い。

それもまた〝C〟が好んで使っていた格言の一つだ。

結城は尋問者に情報を教え、知っている、と仄《ほの》めかさせることでプライスを疑心暗鬼に追い込んだ。そして、最終的にプライスが自分の死と引き換えに、何としても十年間の成果を引き継ごうとすることまで予期していたのだ。但しそこから先は各スパイの個性だ。必ずしも身につけているとは限らない。プライスの場合はたまたま〝遺書を書きつけたメモ用紙〟だった。

後は考えるまでもない。

プライスが行動に移ろうとしたまさにあの瞬間、尋問室の扉を開けて入ってきた軍服姿の若い男。恐らく彼は結城の部下だ。目の動きだけでプライスの行動を制止し、書類を提示して釈放させた。そして、プライスの脇から腕を差し入れ、立ち上がらせたあの時、ポケットから遺書を抜き取ったのだ。

プライスは詰めていた息を吐き、やれやれと首を振った。

十年間プライスが心血注いで築き上げた日本の協力者たち〝隠れ親英派〟は、これですべて筒抜けになってしまった。いつ一網打尽の逮捕劇が行われても不思議ではない——。

だが、そうはなるまい。

プライスは同じスパイとして、結城の意図を正確に理解した。

この後も、彼らは何事もなかったかのように日常生活を続けるだろう。

プライスを土壇場で自殺させなかったのがその証拠だ。死は隠しておけない。プライスに自殺されれば、それがきっかけで面倒な外交問題に発展する可能性がある。結城はその事態を敢《あ》えて回避した。だとすれば、現時点で日本国内の〝隠れ親英派〟を一斉逮捕させて日英関係に不要な波風を立てることも避けるはずだ……。

ふと、頭の隅に何かがひっかかった。

結城と思しき男が里村老人を最初に訪れた際、「欧州で彼と親しくさせてもらっていた」と自己紹介したという。二人は本当にどこかで接点があったのではないか？

プライスは目を細め、しかし、すぐに苦笑して疑念を頭から追い払った。

たとえそれが事実だとしても、調べ出すことは不可能だ。

——正体を暴かれたスパイなど、死んだ犬ほども役に立たない。

〝C〟が好んで使った格言どおり、正体を暴かれたプライスには、結城の過去を調べる手立てなどもはや何一つ残されていなかった。

プライスは、眠り続ける晃の手をいとおしげにさすっている里村老人の背中に一礼し、無言のまま療養所を後にした。

外に出ると、表はまだ肌に突き刺さるほどの強い夏の日差しで溢れていた。プライスは空を見上げて、軽く目を細めた。煙草を取り出し、火をつける。歩いて丘を下りながら、ぼんやりと考えた。

釈放されたとはいえ、一度はスパイ容疑で逮捕されたのだ。近所の目もある。正式な国外追放処分を待つまでもなく、排英感情が高まりつつある日本《このくに》にこのまま居られるとはとても思えなかった。

――仕方がない。とりあえず香港に戻って別の身分を手に入れるとするか。その後は、そうだな……。

次の任務を思案していたプライスの脳裏に、ふと、エレンの顔が浮かんだ。家で心配しながら待っている妻エレンの顔が。

なるほど、そういうことか――。

プライスは煙草をくわえたまま唇の端を歪《ゆが》めた。

迷った時、真っ先に伴侶《はんりょ》の顔が浮かぶようならスパイは引退時期だ。

たしか〝C〟がそんなことを言っていた。

結城はプライスを生きて釈放させた。その上で里村老人を通じて敢えて手の内を明かすことで、プライスの自負心を完膚無きまでに打ちのめしたのだ。スパイとしては、もはや引退せざるを得ないまでに。

敗北。

その二文字が頭に浮かび、どうやっても消えてくれそうにない。

プライスは足を止め、眩しい青空を見上げた。

エレンの祖国ベルギーはいま、ナチス・ドイツとの戦争に巻き込まれている。だが、それも長くは続くまい。〝人間はずっと平和でも、戦争でもいられない生き物だ〟これまた〝C〟が好んだ格言の一つだ。

この戦争が終わったら、エレンと二人でベルギーに行って暮らすとしよう。

美しい国だそうだ。

きっと良い余生になるさ。

プライスは自嘲《じちょう》的な笑みを浮かべ、くわえていた煙草を指先でつまむと、勢いよく路傍に弾《はじ》き飛ばした。

暗号名ケルベロス　前篇

船橋《ブリッジ》内は地獄絵図の様相を呈していた。

舷側《げんそく》を接するばかりの至近距離から発射された数発の砲弾は、船橋を完全に破壊し、そこに居合わせた者たちすべてに恐ろしい惨状をもたらした。

直撃弾により、死者と負傷者の大部分はずたずたに傷つけられていた。船長は顔面の半分を吹き飛ばされ、広げた海図の上に突っ伏すように死んでいた。壁際に座り込み、血まみれの腹を押さえて呻《うめ》いているのは一等航海士だろう。床には誰のものかわからぬ腕が一本ちぎれて転がっている。

天井と壁の一部が破壊されて青空が覗《のぞ》き、崩れたがれきの下から上半身を押し潰《つぶ》された者の足だけが覗いていた。

あちらこちらで火の手が上がりはじめている……。

船橋に歩み入った指揮官の男は、状況を一瞥《いちべつ》して微《かす》かに眉《まゆ》をひそめた。

いささかやり過ぎたか？　この様子では、あるいは——。

「ありました！」

船長室の金庫を調べていた部下の一人が、興奮した様子で駆け寄ってきた。緑色の革鞄《かわかばん》を重そうに抱えている。側面にいくつもの小さな穴。見た目以上の重量は底面に鉛の重りを仕込んでいるからだ。海中に投棄されれば、たちまち石のように千尋の海の底へと沈んでいたに違いない……。

指揮官の顔に一瞬ニヤリと笑みが浮かんだ。すぐに元の無表情に戻ると、素っ気ない声で部下に命じた。

「船倉に爆薬を仕掛けろ。定量の二倍だ。急げ。我々が退避後、直ちにこの船を沈没させる」

「しかし……、生存者はどうしますか？」

爆薬設置を命じられた部下は足下に目をやり、恐る恐る尋ねた。床には低い声で助けを求める負傷者たちの姿。

「生存者だと？　そんなものがどこにいる？」

血の気の失せた顔でじっとこちらを見ている一等航海士と目が合った。指揮官は、だが、まるで何も見えなかった様子で続けた。

「砲撃により、我々が乗り込んだ時点で全員死亡。いかなる証拠も残すな。——わかったな！」

部下は背筋を伸ばして敬礼を返し、逃げるようにその場を走り去った。

「ア、アイアイサー！」

指揮官は口の中で低くそう呟《つぶや》くと、軽く首を振って踵《きびす》を返した。

「生存者か……」

暫《しばら》くして船倉に鈍い音が轟《とどろ》いた。

二度、三度。

船体がゆっくりと傾き、やがて海がすべてを呑《の》み込んでいった。

1

出航直後からの荒天が嘘のように、頭上には朝から目映《まばゆ》いばかりの青空が広がっていた。

昨夜まで船を木の葉のようにもてあそんでいた嵐もようやくおさまり、白波を散らす海面がわずかに時化《しけ》の名残をみせているだけだ。

サンフランシスコを出航して六日目。

《朱鷺丸《ときまる》》は洋上に発生した強烈な低気圧帯を迂回《うかい》し、予定より一日遅れで航海を続けていた。

全長百七十八メートル、総トン数一万七千トン、最大速力二十一ノット。

その優美な姿から「洋上の聖母《マドンナ》」とも称される《朱鷺丸》は、大日本商船が誇る豪華客船だ。

四基のエンジンに省燃費のディーゼルを採用した画期的な経済船型。日本座敷つきの純和風様式の特別一等客室が目を引く。一方で、一等客室、ロビー、ラウンジ、読書室、喫煙室《スモーキングルーム》、レストランなどの内装は英国の一流のデザイナーに委託され、英国古典様式の最高技術と装飾資材が惜し気もなく使われていた。また船内には美容室はじめ、写真用暗室、ジム、プール、さらには映画館などの娯楽施設を備え、ロイズの最高船級を取得したのは無論のこと、換気、暖房、通信、衛生医療、およそあらゆる点において最新技術が用いられた、文字どおり世界最高水準の客船である。

昼近くになって、見はるかす水平線上に、すっかり見飽きた雲とは明らかに異なる黒い稜線《りょうせん》が遠望された。

ハワイ諸島。

サンフランシスコ・横浜間を最短十二日で結ぶ太平洋航路において、ホノルルは唯一の途中寄港地だ。

乗員から上陸予定時間が告げられると、久しぶりに固い陸地を踏むことができるとあって、昼食時の一等レストランでは早速あちらこちらで前祝いのシャンパンが抜かれる音が聞こえた。南国の陽光あふれる甲板には、出航以来ひどい船酔いのために船室に閉じこもっていた人々がはやばやと上陸の身じまいを済ませ、上ずった動きを見せている。

一等甲板に飛び交う言葉は英語と日本語が半分ずつ。船客の国籍も割合も、おおよそそんなところだろう。中には、犬を抱いた外国のご婦人たちの姿も見えた。

真っ白な制服に身を包んだ湯浅《ゆあさ》船長が甲板に現れ、水平線上の島影を指さして、直々に一等船客たちのお相手をしている……。

「ご覧にならないのですか？」

声をかけられて、内海脩《うつみおさむ》は顔を上げた。

目の前に、制服姿の長身の人影——。原《はら》一等航海士だ。

ご覧になる？

目顔で問い返すと、原航海士は軽く頬を染めるようにして答えた。

「みなさん左舷デッキにいらっしゃるので、その……」

見回すと、甲板に出た船客はすべて船の反対側、島影が見え始めた左舷デッキに集まって船長の説明を受けている。右舷には、デッキチェアに座り、新聞を広げた内海のほかには船客の姿は一人として見えなかった。

「いま、ちょっと取り込み中でね」

内海は苦笑して答え、船内で発行された英字新聞の該当箇所を指さした。

「クロスワードパズル、ですか？」

原航海士は新聞を覗き込み、いささか呆《あき》れたように呟いた。

「海の神」

「はい？」

「八文字で三文字目が〝S〟。なんだかわかる？」

「……POSEIDON《ポセイドン》？」

内海は指を折って文字数を数え、満足げにニコリと笑みを返した。

「やっぱり海のことは海の男に聞け、だな」

呟きながら空いたマスに文字を書き込んだ。

「それじゃ、これはどうかな。〝?-変奏曲〟」

「ヒントは、それだけですか？」

「六文字。最後の文字はたぶん〝A〟」

原一等航海士は少し考え、結局首を振った。

「すみません。私にはちょっと……」

「それじゃ、この縦のマスはひとまず置いておくことにして、次は……」

言いかけて、内海は視界の隅で原航海士が表情を曇らせたことに気づいた。

顔を上げ、視線の先を追った。

さっきまで人影の見えなかった右舷デッキに、いつの間にか数人の男たちが固まって立っている。男たちは額を寄せるようにして小声で何ごとか言葉を交わしているようだ。距離があるので話の内容まではわからなかった。

「何もなければ良いのですが——」

原一等航海士は顔を曇らせたまま、独り言のように呟いた。

内海は聞かなかった様子でクロスワードに目を落とし、次の問題に取りかかった。

「冥府《めいふ》の番犬。八文字で、最初の文字はK……」

一九四〇年六月。

前年九月、欧州ではドイツのポーランド侵攻を契機に二度目の〝世界大戦〟が勃発《ぼっぱつ》。だが、その後も〝中立国〟である日本とアメリカを結ぶ太平洋航路は依然として貨客船ビジネスで賑《にぎ》わっていた。否、開戦によって大西洋が危険な〝戦闘海域〟となったことで、むしろ人も物も太平洋・ユーラシア大陸経由で運ばれることになり、太平洋貨客船航路は戦時景気とも言うべき奇妙な活況を呈していたのである。

太平洋を行き交う〝中立国〟日本・アメリカ両国の船は、夜間航行中も煌々《こうこう》と明かりを灯し、中立国のマークをはっきりと掲げることで、航海中の安全確保に努めていた。

〝世界〟を二分する戦争が行われている今日、敵対する両陣営から誤って攻撃を受けぬよう細心の注意を払う義務は中立国側にあった。逆に言えば、どちらかの陣営に利する物資や人的資源を積んでいる船は、砲撃、場合によっては爆沈されてもやむを得ないことを意味していたのだ。

六日前。

《朱鷺丸》は、全等級とも平均客室稼働率を上回る船客を乗せてサンフランシスコを出航した。殊に二等客室はほぼ満室に近かったが、これはある事情による。

出航直前になって、五十名を超すドイツ人一行が乗船を希望してきたのだ。

湯浅船長は最初、彼らの乗船に難色を示した。

現在交戦中であるドイツ人の一行――しかも、五十名もの大人数の乗船を許可すれば、他の乗客の安全を脅《おびや》かすことになりかねない。

そう判断した湯浅船長は、大日本商船サンフランシスコ支店にドイツ人一行の乗船希望を断るよう命じた。

ところが、意外なところから横槍《よこやり》が入った。在米日本総領事が直々に本船を訪れ、

「彼らはアメリカに出稼ぎに来ていたドイツ人労働者とその家族だ。家族を連れて出国を希望する彼らの手助けをすることは中立国として当然の行為であり、また人道的

見地から見ても理にかなっている」

と主張。船長に対して、乗船便宜を図るよう強く希望したのである。

日本総領事。言い換えれば、大日本帝国の強い希望ということだ。

民間会社に雇われた一船長の身としては拒否できるはずもない。しかし——。

出航間際、何かに追い立てられるようにタラップを上がってきたドイツ人一行を目にして、湯浅船長はじめ朱鷺丸の高級船員たちは無言で目配せを交わした。

船客名簿では〝ドイツ人労働者とその家族〟。

大半は、事実そのとおりなのだろう。

だが、彼らの中に雰囲気の異なる男たちの一団が交じっていた。

労働者風の目立たない服装をしてはいるが、歩き方、目付き、立ち居振る舞いから、彼らが同業者——即ち船員であることが、長年船に乗っている朱鷺丸の乗員の目には明らかだった。

自然と、サンフランシスコで耳にしたドイツの貨物船《ゲルマニア号》に関する噂が思い出された。

大西洋航海中に独英戦争勃発の知らせを受けたゲルマニア号は、直ちにメキシコのベラクルス湾に逃げ込み、船に偽装を凝らして潜伏した。その後、機を窺《うかが》い、多量の燃料を積んで祖国への帰還を試みたものの、たちまちイギリスの駆逐艦に発見され、追い回されたあげくに自沈。

乗員は偶々《たまたま》付近にいあわせたアメリカの巡洋艦に助けられ、難破船乗員として収容された。

噂とは、ドイツとイギリスが現在アメリカに対してともに乗員の身柄引き渡しを強く要求しており、板挟みとなったアメリカ当局はひどく困惑している、というものだ。

大西洋航路は事実上封鎖されている。

アメリカから欧州に向かうには、〝中立国〟日本の船で太平洋をわたり、やはり〝中立国〟であるソ連のシベリア鉄道を使って大陸を横断するルートが一般的だ。

朱鷺丸の船員たちは、挙動不審の男たちこそがゲルマニア号の乗員ではないかと疑ったのだ。ドイツ、アメリカ、日本の間で密《ひそ》かに交渉が行われ、三国の利害が一致したのが今回の〝駆け込み乗船〟である可能性は高い。あるいは、最近ドイツべったりの日本の陸軍がごり押ししたのかもしれない。

いずれにしても、一方の交戦国・イギリスを蚊帳《かや》の外に置いての話だ。

ドイツ人船員が帰国すれば、すぐさまドイツ海軍に徴用される。交戦国イギリスからすれば、敵の兵力増強に手を貸す敵対行為である。だからこそ、彼らは本来の船員身分を秘匿し、かつ、他の大勢の出稼ぎ労働者とその家族に紛れる形で朱鷺丸に乗船してきたのだろう。内、高級船員らしき数名が一等船客となっている。だが――。

万が一、イギリス側にことが露見すればどうなるのか？

湯浅船長はじめ、原一等航海士ら朱鷺丸の高級船員たちが不安を抱いたのは当然だった。

尤《もっと》も、朱鷺丸は出航直後から酷《ひど》い嵐に見舞われ、船長以下船員たちも〝それどころではなかった〟のも事実ではあるが――。


「なんだ、あれは」

左舷デッキ方面にざわめきがわき上がった。

「……嘘でしょう」

「まさか……そんな馬鹿なことが……」

風に乗って切れ切れに聞こえてくる声は、いずれもただならぬ気配だ。

内海はクロスワードから顔を上げ、原一等航海士と顔を見合わせた。

その時、ひときわ高く、女性の声で悲鳴が上がった。

「だめ《ノー》！　止まって《ストップ》……来ちゃだめ《ステイ》！」

内海はハッとして立ち上がり、すでに駆け出していた原航海士の後を追った。

通路を抜けて左舷デッキに出ると、たちまち異様な光景が視界に飛び込んで来た。

さっきまで甲板上やレストラン、読書室など思い思いの場所に散らばり、左舷前方、南洋に見えはじめた島影にのんびりと目を向けていた乗客たちが、船首近くの一ヵ所に集まっていた。全員が手摺《てす》りから身を乗り出し、息を呑むようにして海面上の一点を見つめている。

内海は原航海士と無言で目配せを交わし、足早にデッキを横切って、集まった乗客たちの脇から青い海原を眺めた。

少し離れた海面に黒い影が見えた。

突然黒い影が動き出し、朱鷺丸に向かってまっすぐに進み始めた。

あの影は、しかし、まさか——。

誰かが、絶望したように呻く声が聞こえた。

「……Uボートだ」

2

Uボート。

ドイツ語の「Unterseeboot《ウンターゼーボート》」の略号で、本来「潜水艦」一般を意味する。だが、英語で「Uボート」と口にされた場合、そこには必ずある感情が込められている。

ある感情。

即ち、恐怖だ。

Uボートは元々、海上通商破壊を目的として開発されたドイツ海軍の秘密兵器だ。第一次世界大戦中、Uボートは大西洋上において実に五千三百隻近くの敵国貨客船を撃沈し、連合国、殊に島国イギリスを恐怖のどん底に突き落とした。

Uボートの登場は、それまでの海上戦争の概念を根本から覆した。

それ以前の戦争においては、軍人と民間人、前線と銃後、交戦国と中立国の区別が、曲がりなりにも存在していた。しかしUボートは、洋上航海中の船であれば、敵国、中立国の別を問わず、無警告、無差別、無制限に攻撃を加えて、これを撃沈。

戦争は、一切の区別をもたぬ〝総力戦〟という未知の局面に突入したのだ。

海面下を密かに忍び寄る黒い影。

攻撃される瞬間まで幽霊のごとく〝見えない存在〟であるUボートは、第一次世界大戦中、大西洋を行き来するすべての船員船客たちにとって恐怖以外のなにものでもなかった。

一九一八年。第一次世界大戦はドイツ、オーストリア＝ハンガリーを中心とする同盟国側の敗北をもって終結する。

敗戦国ドイツはUボートの一切の保有及び新たな建造を禁じられた。

だが、一九三三年、政権を奪取したナチスは密かにUボートの建造を開始。

一九三九年九月一日の第二次世界大戦勃発と同時に、ナチス・ドイツは五十七隻のUボートを大西洋に配備、敵国貨客船への無差別撃沈攻撃を開始した。

神出鬼没。先の大戦時よりはるかに高性能を誇る新型のUボートに対して、連合国側はなす術《すべ》を持たなかった。

殊に英国植民地から本国に向から補給船がイギリス近海でUボートに待ち伏せされ、次々と沈められた。噂では、イギリス国内では早くも物資不足が深刻化しはじめているという……。

だが、それもすべて現在戦争が行われている大西洋での話だった。

欧州を遠く離れたこの太平洋上、地球の裏側であるハワイ近海にドイツのUボートが出没するなどということが、しかし、まさか——。

素早く頭を巡らせながら、内海の目は海面に吸いつけられたままだった。

海面のすぐ真下に見える巨大な黒い影は、その間も滑るように朱鷺丸に向かってまっすぐに進んでいた。

距離およそ八〇〇。

今ではもう、黒い影の輪郭がはっきりとわかるほどだ。

あれは——。

黒い影が急浮上し、海面上に躍り上がった。

「鯨《くじら》だ！」

甲板上にどっと歓声があがった。

息を詰めていた人々が、あちこちでほっと安堵《あんど》の息をついている。極度の緊張が解けたためだろう、その場に座り込む者の姿も見えた……。

内海は思わず苦笑した。

巨大なマッコウクジラが朱鷺丸に突進してきた。本人はおそらく遊びのつもりなのだろう。その様が、あたかもUボートに見えただけだったのだ。

幽霊の正体見たり枯尾花《かれおばな》。

恐怖に怯《おび》える人間の心理がもたらした滑稽《こっけい》な見間違いだ。

そうとわかると、船客たちの間にたちまち和やかな雰囲気が広がった。

見知らぬ船客同士、肩をたたき合い、くすくすと笑って、自分たちの周章狼狽《ろうばい》ぶりを笑い飛ばしている……。

「やれやれ、とんだ余興があったものだ」

内海は原一等航海士を振り返り、顔をしかめるようにして言った。

「まさかとは思うが、あの鯨、大日本商船が雇ったんじゃないだろうね？」

内海が皮肉めかしてそう指摘すると、人の良い原航海士は頬を朱に染め、バツが悪そうにもじもじとしてる。

船長はじめ太平洋上での生活に慣れた朱鷺丸の船員たちは、黒い影の正体が鯨だとすぐに気づいたはずだ。

その上で、彼らはあえて黙っていた。

嵐が無事過ぎ去り、ホノルル入港を数時間後に控えた今、娯楽の少ない洋上で船客たちに楽しんでもらうための、ちょっとした余興《ハプニング》。そんなつもりだったのだろう。欧州で血まみれの戦争が行われている昨今、〝平和の海〟、即ち太平洋《パシフィックオーシャン》と名付けられたこの海域でこそ許される冗談だ。しかし――。

「今のジョークは、人によっては少し刺激が強すぎたかもしれないぜ」

内海が指さす方向に視線を向けた原航海士は、途端にアッという顔になった。

幼い子供を腕に抱いた金髪の小柄な若い女性が、青い目を大きく見開き、船室の壁に背中をもたせかけるようにして立っていた。肩が大きく上下し、顔色は白く塗られた壁のペンキさながらだ。白昼、幽霊にでも出くわしたような顔をしている――。

実際に大西洋でUボートの恐怖を経験した者、その上で運良く〝九死に一生を得た者〟にとっては、どうやら笑えないジョークだったらしい。

「うわぁ、大変だ」

原一等航海士は慌てた様子で身を翻し、女性に駆け寄った。

女性に声をかけ、長身の体を折り曲げるように何度もぺこぺこと頭を下げている。幼い子供を預かり、女性の肩を抱くようにして船内に連れて行く……。

原航海士の後ろ姿を見送った内海は、今一度振り返り、洋上に目をむけた。

見はるかす青い空と紺碧《こんぺき》の海。水平線にたゆたう真っ白な入道雲。島が近づいたためだろう、マストにはいつの間にかたくさんのカモメたちが止まり、羽を休めている。

南洋の楽園、ハワイ島の稜線が今ではもうくっきりと見えた——。

内海はふっと小さく笑い、首を振った。

今この瞬間にも、世界の裏側では激しく銃弾が飛び交い、爆弾が炸裂《さくれつ》し、大勢の人々の命が失われていることなど、まるで嘘のようであった。

3

相変わらず人で賑わう左舷甲板を離れ、内海は一人ぶらぶらと右舷甲板に戻った。

ふと、さっきまで自分が座っていたデッキチェアの脇に立つ中年の男の姿を認めて、足を止めた。

五十代前半。きちんと手入れされた灰色の口ひげに、くぼみのある突き出た顎《あご》。白いシャツは手が切れるほどアイロンが当たっている。目の色は濃い茶色。いや、そんなことはどうでも良い。問題は――。

目を細め、相手を観察した内海の唇の端に、微《かす》かな笑みが浮かんだ。

「何か御用ですか?」

近づいて声をかけると、男はハッとしたように振り返った。

「失礼。あなたのものでしたか」

そう言って、男はテーブルの上の新聞を指さした。

「通りがかりに、ひょいと目に入りましてね。それで、その……」

男は口の中でもぞもぞと呟いていたが、肩をすくめ、内海に手を差し出した。

「ジェフリー・モーガン。サンフランシスコで小さな貿易会社を経営しています」

「オサム・ウツミ。日本の技術者です」

船上で知り合った者同士特有の簡単な自己紹介を済ませた後で、モーガンはいささか照れたように首を振って言った。

「解きかけのクロスワードがあると放っておけない性分でしてね。いや、こればかりは昔からどうしようもない。悪い癖です」

「それはちょうど良かった。お知恵を拝借できませんか? 実は手詰まりになっていたところなのです」

内海はにこりと笑い、隣に座るようモーガンを促した。

椅子に座ったモーガンは早速、手の平を擦《こす》り合わせるようにして新聞を覗き込んだ。

「さて、どこからはじめましょうか？」

「そうですね……これなんかどうです？　バルト海沿岸の湖沼地帯。さっき〝ポセイドン〟が出たので、最初の文字は〝P〟」

「POMERANIA《ポメラニア》？」

「うーん。それだと九文字ですね。残念ながら、マス目は七つしかありません」

「ああ。それならきっとPOMORZE《ポモージェ》だ」

「なるほど。ポモージェか。これは気がつかなかったな」

内海は感心したように一つ手を打ち、マス目に文字を書き込んだ。

「では、これはどうです？　水に棲《す》む怪物。五文字で最初の文字が――」

……。

大の男が二人、額を突き合わせるようにして取り組んだ結果、空欄が目立っていた盤面は次第に文字で埋まっていった。

内海はふうと息を吐き、顔を上げて相手に提案した。

「少し疲れましたね。このあたりで一度ひと息入れましょうか？」

「そうですか？　私はまだ……しかし、まあ、あなたがそうおっしゃるのなら……」

モーガンは渋々といった様子で、名残惜しげに残りの問題から視線を引きはがした。

ちょうど通りかかったパーサーに声をかけ、冷たい飲み物を持って来てもらった。

二人の男はテーブルを挟み、氷を浮かべた背高のグラスで乾杯した。

「さっきの騒ぎには驚かされましたね」

内海がグラスを手にしたまま、にこりと笑って言った。

「出航以来の嵐がやっとおさまってくれたと思ったら、今度はUボートとはね」

「実際、あれは笑えないジョークでしたよ」

モーガンは飲み物を一口飲んだ後、顔をしかめて言った。

「船員たちはすぐに鯨だとわかったはずです。黙っているとは、冗談にもほどがある。

やれやれ、今度ばかりはてっきりもうだめかと思いました」

「Uボートとの遭遇はこれで何度目です？」

尋ねると、モーガンは疑わしげに眉を寄せ、内海に向き直った。

「どういう意味です？」

「いえ、〝今度ばかりは〟とおっしゃったので……」

ああ、とモーガンは納得したように頷《うなず》いて言った。

「先の大戦時に一度。商売で欧州に渡る途中で遭遇したのです。もちろん、大西洋での話です。幸い、その時は何とか逃げ切ることができたのですが……」

あまり話したくない様子だ。

話題を変えるべく、内海は甲板上に遠く見える婦人を指さし、冗談めかした口調で言った。

「おや、ごらんなさい。ポモージェだ」

アメリカ人らしき太った中年の婦人の足下に、茶色の小さな犬が纏《まと》わりついている。

「ポモージェ。英語名でポメラニア。ポーランド北部、バルト海沿岸の湖沼地帯の歴史的名称。現在のポメラニアンは、もともとポモージェ原産の大型犬種を改良したもの——確かそうでしたよね？」

「そのとおりです……」

モーガンは犬を連れた婦人にちらりと目をやり、顔をしかめて言った。

「尤も、ポモージェ——つまり現在のポーランドの運命など、彼女たちは知ったことじゃないようですがね。やれやれ。金持ちのアメリカ人女性のいったいどれほどが、この船にまで愛玩犬《あいがん》を連れてきていることか！　彼女たちにとっては現在欧州で行われている戦争なんかより、小さな犬の機嫌をとる方がよほど重要事項なんですからね。ご婦人方が、あの哀れでちっぽけな犬たちとこれ見よがしにベタベタしている様子ときたら、まったく呆れるばかりですよ」

「ええ、確かにおっしゃるとおりです」

内海はしごく真面目な顔で同意した。

「しかも、その同じご婦人方が行儀の良いペットのようにして連れて歩いているのが、ご亭主ときた日にはね」

　一瞬考える顔になったモーガンは、すぐにニヤリと笑い、内海に向かって片目をつむってみせた。

「それにしても、よくわかりましたね」

　内海は目元に微かに笑いの気配を残したまま、口を開いた。

「さっきの問題。〝?·変奏曲〟ですよ。あの答えがまさか〝ENIGMA《エニグマ》〟だとはね。エニグマ変奏曲。聴いたことがないな? 私だけならきっと、最後まで空欄のままでしたよ」

「エニグマ変奏曲は、イギリス人作曲家エルガーの代表作の一つです」

　モーガンは得意げな表情でそう言うと、メロディーの一部を口ずさんでみせた。

「聴いたことがありませんか? そう、それは残念だ。エニグマ。ギリシア語で〝謎〟ですね。エルガーはこの曲の主題に謎を仕掛けたと言われています。その内、幾つかの謎はいまだに解かれていません」

「なるほど、解けない謎ですか」

　内海は頷き、波光きらめく海に目を向けて、独り言のように呟いた。

「同じですね」

「同じ、とおっしゃると？」

「ほら、ドイツ軍が採用している最新の暗号システムですよ」

内海はモーガンに向き直り、何でもないようにのんびりと言った。

「鉄壁。無敵。決して解かれることのない謎。ドイツ軍が使っている暗号機が確か〝エニグマ〟——そういったんじゃありませんでしたかね？」

モーガンの顔に戸惑ったような色が浮かんだ。

「失礼。ウツミさん、あなたお仕事は……？」

「先ほど自己紹介したとおり、ただの技術屋ですよ」

内海は軽く手を振って続けた。

「物知りのモーガンさんなら、てっきりご存じかと思ったのですが……そのご様子ではさてはご存じなかったみたいですね？　エニグマ暗号機はもともと商業用に開発されたものなのです。ライプツィヒで行われた万国郵便貿易博覧会に出品されていたものを、うちの会社が試しに一機手に入れて使っていたのですよ。その後、市場から突然姿を消したので妙だなと思っていたら、ドイツ軍に採用されたという噂が聞こえてきました。相手がドイツ軍じゃ仕方がない。あの暗号機はなかなかの優れ物でした。もちろん、軍が使うとなれば、さらに改良が加えられたのでしょう」

「その事情なら……そう、私も聞いています」

モーガンは苦い顔で口を開いた。

「それを言えば、エニグマ暗号機がその後、ドイツ軍の手でどう改良されたのかもね」

ドイツ軍は既存の商業用エニグマ暗号機を電化することで小型化、携帯用の小型暗号機の開発に成功した。

もともと商業用エニグマ暗号機は、三個の回転式円筒《ドラム》を使って百万通り以上の換字システムを実現していた。ドイツ軍はこれに取り外しできるドラムを追加。加えて差し込み式のプラグを使って暗号機内部の配線を容易に変更できるよう改良することによって、暗号のコンビネーションは天文学的な組み合わせが可能になった。その数は、一説によれば、二百兆通り以上とも言われている……。

「二百兆通り、ですか！」

モーガンの説明に、内海はひゅうと口笛を吹いた。

「それじゃ、現時点でドイツ軍の暗号を解読することは絶対に不可能ですね？　エニグマで指示を受けているドイツのUボートが神出鬼没、予測不可能なわけだ」

モーガンは内心葛藤《かっとう》する様子でしばらく黙っていた。が、やがてこらえ切れなくなったようにニヤリと笑って言った。

「はたして、そうでしょうか？　私は、この世には何ごとにも〝絶対に不可能〟ということはないと思いますよ」

「だって、二百兆通りの組み合わせですよ？」

内海は呆れたように目を丸くして言った。

「しかも、それぞれの暗号機が目的によって異なるコールサインを使っているわけですよね？　まさか、いちいち全部の組み合わせを試してみるわけにはいかないでしょう。そんなことをしていたら、暗号を解くより先に戦争が終わってしまう」

「それでも、人間が作るものである以上、どんな暗号も理論上は必ず解読可能なのです。それには、ちょっとしたヒントがありさえすれば良い」

「ちょっとしたヒント、と言うと？」

「例えば、そうですね……」

とモーガンは人さし指を眉間に当てて先を続けた。

「もし仮に、仮にですよ、予め《あらかじ》内容が判明している文章があるとしましょう。その文章と同じ内容のエニグマ暗号文が手に入れば、二つを突き合わせることで解読の手掛かりが得られます。具体的には、エニグマ暗号変換の仕組みを解読するために必要な、いわゆる《三文字コード》が得られるわけです。おわかりになりますか？　結局のところ、どんな暗号もそれを使う者次第――そういうことです」

「要するにあなたは、現在最強無敵、鉄壁を謳《うた》われるドイツ軍のエニグマ暗号も、結局はこのクロスワードパズルと同じだとおっしゃるのですか？　ちょっとした手掛かりさえあれば解くことができるのだと？」

「クロスワードパズル！　まさにその通りです」

モーガンは我が意を得たりとばかりに手を打った。

「アルファベット二十六文字を使うクロスワードは、組み合わせというだけなら、六文字単語なら約三億通り。七文字単語なら実に八十億通り以上の組み合わせが理論上存在します。ところが我々は、その八十億通り以上の組み合わせの大海の中から、例えばPOMORZE《ポモージェ》という正解を容易に拾い上げることができる。そのために必要なものは、ちょっとしたヒントだけなのです」

内海は首を振り、やれやれとため息をついて言った。

「モーガンさん、やはりあなたは実に頭の良い方だ。どんな複雑な暗号も、あなたにかかっては形無しだ。あなたのような人を敵に回したくはないですね。これ以上、両国の関係が悪化しないことを期待していますよ」

「おお、ウツミさん。その点については、私もあなたとまったく同じ意見です」

モーガンはそう言って、体の前で大袈裟《おおげさ》に両手を広げてみせた。

「先頃、日米間の通商条約が失効したことは、私にとっても残念の極みです。日米間の貿易は、事実上、これで無条約状態になってしまったわけですからね。お互い、今後の商売はやりづらくなる……。おや、何がおかしいのです？」

内海が苦笑しているのに気づき、モーガンがむっとしたように尋ねた。

「失礼。私は何もそんなことを言っているわけではないのです」

内海は顔の前で手を振り、軽く首をすくめた。テーブルから新聞を取り上げ、くるくると器用に丸めながら、目を伏せて言った。

「私がこれ以上悪化しないよう望んでいるのは、日米関係ではなく、日英関係の方でしてね。そのためには、英国人であるあなたがアメリカ人を装い、偽のパスポートを使って日本《わがくに》に入国されては困るのですよ」

「日英関係？ 偽のパスポート？」

モーガンは戸惑ったように目を瞬《しばた》いた。

「ウツミさん、あなたは何かひどい勘違いをしている。私はアメリカ人です。英国とは何の関係もない……」

「やめましょう、モーガンさん――いえ、本名ルイス・マクラウドさん。お芝居は終わりです」

内海は目を上げ、呆然《ぼうぜん》としている相手に陽気な笑みを向けて言った。

「それとも、お国の秘密諜報機関が使っている暗号名〝教授《ザ・プロフ》〟とお呼びした方が良いですかね？」

4

マクラウドの顔から見る間に血の気が失せ、蒼白《そうはく》になった。目を大きく見開き、左右にゆっくりと首を振っている。打ちのめされたように頭を下げ、両手をだらりと垂らした……。

突然、マクラウドの上体がバネのように跳ね上がった。

内海は勢いよく振り回された相手の左手を丸めた新聞で受け流し、そのままテーブルの上に押さえ込んだ。

「どうやら、英国秘密諜報機関では護身用にナイフの使い方を指導しているという噂は、本当だったようですね」

体を寄せ、相手の耳元に平然とした口調で嘯《うそぶ》いた。

外からは見えないが、内海が手にした筒状の新聞の中に抜き身のナイフがすっぽりと包み込まれている。

マクラウドが上体を屈《かが》めたのは、ズボン裾《すそ》に隠し持ったナイフを引き抜くためだったのだ。

が、内海はその動きを予想していた。予め丸めて持っていた新聞紙でナイフを包み取り、そのままマクラウドの左手をテーブルの上に押さえ込んだ。と同時にテーブルごしに手を伸ばし、相手の頸動脈《けいどうみゃく》に二本の指を突きつけた——。

波光きらめく中、一瞬の白昼夢。

偶然の目撃者がいたとしても、二人の間にいったい何が起きたのか理解できなかったに違いない。

「頸動脈を断ち切るのにナイフは必要ありません、爪で充分です」

内海は人が変わったような冷ややかな声で相手の耳元に囁《ささや》いた。

「訓練を受けたのなら、その時お聞きになったはずですよね？　ナイフは抜いた瞬間に勝負が決まる。プロが相手の場合、一度抜いてしまったナイフはもはや脅威にはなり得ない、と」

ごくりと唾《つば》を呑み込み、微かに頷く気配が伝わってきた。

同時にマクラウドの全身からどっと力が抜け落ちた。

内海は丸めた新聞の中に収めたナイフを抜き取り、手にとって素早く確認した。小型ながらよく手に馴染《なじ》むよう握りが工夫された軍用のナイフ。研ぎ澄まされた短い刃は、皮膚はおろか骨まで一断できそうだ。

クルリと回転させ、刃の方を持って相手に差し出した。

「どうぞ」

マクラウドは無言で首を振り、手を出そうとしなかった。内海はそのまま海に投げ捨てた。ナイフは一瞬のきらめきを残してたちまち波間に消えた。

「……なぜだ？」

マクラウドが血の気の失せた顔のまま、喘《あえ》ぐように尋ねた。

「なぜ、私だとわかった？」

「情報がありましてね」

内海は何でもないように軽く肩をすくめて答えた。

「英国秘密諜報機関の暗号専門家〝教授《ザ・プロフ》〟がイギリス国内から姿を消した。行き先はおそらく日本。――情報収集はイギリスの専売特許ではありません。可能性を検討した結果、この船に乗っている蓋然《がいぜん》性が最も高かった。そこで私がこうしてお待ちしていたというわけです」

「だが……そんなはずはない。私は大丈夫だと言われたのだ……私だとは絶対にばれないと……たとえ古い友人や家族でさえ見分けがつかないと言われた。それなのに……いったいなぜ……」

「ああ、あなたはきっと外見のことをおっしゃっているのですね？」

内海は軽く肩をすくめ、のんびりした口調で反問した。

「確かにマクラウドさん、私が見せられた写真とは、あなたはずいぶん様子が変わっています。髪の色や髪形、口ひげの変装くらいならともかく、目や鼻、唇の形も違っている。それに、そのくぼみのある突き出た顎。やれやれ、英国の医療整形技術には敬意を払いますよ。尤も、先の欧州での戦争で大勢の方が身体の一部を失ったために、義手や義足、医療整形が長足の進歩を遂げたというのは何とも皮肉な話ですがね。それにしたって、顎の骨までいじるのは大変だったでしょう？　さては声質を変化させるために声帯にまで手を入れたのですか？　いやはや、ご苦労なことです。一インチの身長の違いは上げ底靴ですよね？　唯一気になっているのは、瞳《ひとみ》の色が変わっていることですが——」

目を細め、マクラウドの顔を正面から覗き込んだ。

「なるほど。特徴的なグリーンの瞳を隠すために、薄い素材でできた茶色のレンズを目に入れているのですか。英国秘密諜報機関も色々と工夫を考え出すものだ。確かにここまで外見が変われば、ちょっと見ただけではわからない。おっしゃるとおり、古くからのご友人やご家族の方にも、あなただとはわからないと思いますよ」

「だが、きみは私だと一目で見抜いた」

マクラウドは咳《せ》き込むように尋ねた。

「同じ船に乗っていたとはいえ、出航以来、私はほとんど船室に籠《こ》もり切りだった。

きみとは今日、ここで会ったのが最初のはずだ。それなのに、なぜだ？　友人や家族にもわからないはずの私の正体を、なぜきみが見抜けたのだ？」

「誤解しないで下さい。外見の変化には、過去のあなたを知る人たちの方がかえって惑わされるのです」

内海は肩をすくめるようにして言葉を続けた。

「私は過去のあなたを知らない。私が与えられたのは、あなたに関する細かな情報――外見に限って言えば、写真を一度ちらりと見せられただけです。それも、他の書類同様、すぐに返させられましたがね。そもそも写真というやつは、撮り方によって被写体がずいぶん変わって見える。だから、あまり信用しないよう訓練を受けているのです。それよりは情報を総合的に判断すること――」

マクラウドを正面から見て、にこりと笑って言った。

「例えば、英国諜報機関に雇われた暗号の専門家〝教授《ザ・プロフ》〟には解きかけのクロスワードパズルを放っておけない性癖がある、といったことをね」

マクラウドは「あっ」と声を上げた。

無人のデッキテーブルの上に放置されていた解きかけのクロスワードパズル。

あれが罠《わな》だったというのか？

人は誰しも何かしらの性癖を持っている。

特殊な技能を持つ者、一般人と掛け離れた能力や感覚の持ち主ほど、ある種の刺激に対して特異的な反応を見せる場合が多い。マクラウドの場合は解きかけのクロスワードパズルへの執着だった。

大勢の人々の中からマクラウドを特定し、釣り上げるために、さりげなく、かつ周到に張り巡らされた罠。しかし――。

マクラウドは目を細めた。

それでもなお、人違いの可能性は存在する。全然関係のない者が、解きかけのクロスワードパズルに反応したかもしれないのだ……。

クロスワードそのものが試験紙《テスト》だった？　問題にキーワードが仕掛けられていたのか？　その言葉に対する相手の反応を内海は確認していた？　クロスワードを解きながら、自分はいったいどんなことを口にしたのか……？

動揺するマクラウドの心の内を読み切ったように、内海はくすくすと笑いながら言った。

「尤も、実を言えばマクラウドさん、遠くから見た瞬間、私には一目であなただとわかりました。クロスワードパズルは、あなたにリラックスしてもらうためにご一緒させてもらっただけです。どうぞご心配なく」

マクラウドは唇をかみしめ、結局、最初の質問に舞い戻った。

「なぜ私だとわかった？　過去に一度も会ったこともないきみが、なぜ一目見て私だとわかったのだ？」

「耳の形、ですね」

内海は平然とした様子で答えた。

「耳？」

「耳には、指紋と同じように一人一人固有の形があるのです。私が見た写真には、偶然あなたの耳がはっきりと写っていた。その形を覚えていたのです」

馬鹿な……。

マクラウドは信じられない思いで大きく目を見開いた。

一度ちらりと見ただけだという一枚の写真。おそらく隠し撮りされたものだろう、鮮明な画像だったとは思えない。そこに写っていた耳の形を正確に記憶し、そしてその耳の形から特定の人物を一目で見分ける？　そんなことが実際に出来るものなのか？

第一、内海はさっき「他の書類同様すぐに返させられた」と言ったのだ。写真にせよ、他の情報にせよ、書類を渡されたその場で頭に入れたことになる。そんなことが……しかし、まさか――。

記憶の隅で何かが閃《ひらめ》いた。

そう言えば、妙な噂を聞いたことがある。

数年前、日本陸軍内部に秘密諜報機関が作られた。

そこに集められたのは、生え抜きの軍人を尊ぶ日本陸軍の常識をあざ笑うかのように、一般の大学を優秀な成績で卒業した軍外の者たちばかりだったという。

D機関。

日本陸軍内部では、嫌悪と畏怖《いふ》を半ばにそう呼ばれているらしい。

思い出したのは、その〝D機関〟の選抜試験に関する噂だ。

受験者のある者は、建物に入ってから試験会場までの歩数、及び上った階段の数を訊《き》かれた。別のある者は、世界地図を広げて太平洋上の小さな島の位置を尋ねられたが、その地図からは巧妙に島が消されていた。受験者がそのことを指摘すると、今度は広げた地図の下、机の上にどんな品物が置いてあったのかを質問された。意味をもたない文を幾つか読まされ、しばらく時間が経ってからその文を、今度は逆から暗唱させられた……。

実に〝ユニーク《UNIQUE》〟。

噂を耳にした時、それがマクラウドの頭に最初に浮かんだ感想だった。六文字。

十文字なら〝注目に値する《REMARKABLE》〟。

クロスワードパズルなら正解だろう。

だが、現実には、そんな型破りな試験にパスする者が存在するとは信じられなかった。〝さまよえるオランダ人〟（これもクロスワードの頻出単語だ）同様、誇張された伝説に違いない。そう思った。しかし——。

もし本当に〝ユニーク〟かつ〝注目に値する〟選抜試験が行われたのだとしたら？

噂にはさらに続きがあった。

建物に入ってから試験会場までの歩数、階段の数を正確に答えた受験者は、問われもしないのに、途中の廊下の窓の数、開閉状況、さらにはひび割れの有無まで指摘した。

地図の下の机上の品物を訊かれた者は、インク壺《つぼ》、本、湯飲み茶碗《ちゃわん》、ペン二本、マッチ、灰皿など十種類ほどの品名をすべて正確に答えた上で、背表紙に記されていた本の書名、さらには吸いかけの煙草の銘柄まで再現してみせた。意味のない文を逆に暗唱する課題を与えられた者は、ついに一文字も過たずそれをやってのけた。

奇妙な選抜試験を易々《やすやす》とパスした十数名の者たち。常軌を逸した異能者だ。彼らが精神と肉体の能力の限界を試される様々な訓練を経てD機関のスパイとなった。その者たちが現在《いま》、与えられた偽の身分、経歴、名前で世界中に派遣され、任務を遂行している——。

マクラウドはゆっくりと顔を上げ、隣の椅子に座る内海の横顔に目を向けた。

アジア人にしては彫りの深い方だろう。年齢は二十代半ば。目鼻の整った品の良い顔立ち。きめの細やかな色白の肌は女性と言っても通用しそうなくらいだ。

敵国のスパイと差し向かいで対決していることなどまるで嘘のように、内海はしごく上機嫌な様子で鼻歌を歌っている――。

マクラウドは観念して目を閉じた。

途端に、隣に座る内海がどんな顔をしていたのかまるで思い出せなくなった。印象の薄さは意図的に作られたものだろう。内海という名前も、どのみち偽名に違いない……。

もはや疑う余地はなかった。

内海は――いや、〝内海〟と名乗る正体不明のこの若者は、日本陸軍内に作られた異色の秘密諜報機関が送り込んだ異能者《スパイ》だ。とすれば、英国秘密諜報機関に籍を置くとはいえ、所詮《しょせん》は暗号の専門家に過ぎぬマクラウドの手に負える相手ではなかった。

「何だか不思議な感じですよね」

内海は水平線の彼方に目を向けたまま、のんびりした口調で言った。

「こうして海の上ですごす時間が長ければ長いほど、国家同士の戦争などというものが馬鹿馬鹿しく思えてきませんか？　特に今回の航海のように嵐で船が木の葉のように翻弄《ほんろう》されている最中なんか、この上なんだって人間同士で争い、殺し合いをしなければならないのかさっぱり理解できなくなる。海の上では国籍など関係ありませんからね。船に乗り合わせた者はみんな一蓮托生《いちれんたくしょう》、運命共同体だ」

内海はそう言って、マクラウドににこりと笑って見せた。

マクラウドはしかし、もはや口をきくことさえできない様子だった。顔面蒼白、額にはびっしょりと玉の汗が浮かんでいる。

「どうか勘違いしないで下さい」

内海は軽く肩をすくめ、敵意がないことを示すように体の前で両手を広げてみせた。

「私は何もあなたに危害を加えるつもりはありません。逆です、〝教授《ザ・プロフ》〟。私はあなたを助けにきたのです」

逆？

英国秘密諜報機関の暗号専門家であるマクラウドを、日本のスパイが助けにきた？

「いったい、どういう意味だ……」

かすれた声で尋ねたマクラウドの脳裏に、不意に、もう一つの奇妙な噂が浮かんだ。

死ぬな、殺すな。

それがＤ機関のスパイたちに課せられた第一戒律だという。

殲滅《せんめつ》・自決をモットーとする日本陸軍にあるまじき方針だ。自らの存在意義を真っ向から否定する行動規範を掲げたD機関が、日本陸軍内部で忌み嫌われ、疎んじられていることは想像に難くない。噂によれば、D機関は〝魔王〟と呼ばれる一人の男によって作られ、率いられているという。その男の名は、確か——。

「上司から伝言があります」

内海はマクラウドの思考の糸を断ち切るように、顔を寄せ、低い声で言った。

「横浜到着と同時に、日本の官憲がこの船に乗り込んでくる手筈《てはず》になっています。彼らの目的は、あなたの逮捕です。ハワイで下船されることをお勧めします」

内海は一方的にそう囁くと、また元のように椅子の背にもたれた。

マクラウドは目を細め、小綺麗《こぎれい》な顔で澄ましている内海の顔を眺めた。

——なるほど。そういうことか……。

マクラウドは胸の内で呟いた。

折角の苦心の変装にもかかわらず、マクラウドの正体は日本のスパイ内海によって見破られた。だがそれも、マクラウドが顔を変え、変装して、日本行きの船に乗っているという情報が前提での話だ。問題は、なぜ日本側に情報が漏れたかだ。意味するところはつまり——。

マクラウドは唇を噛《か》みしめ、やがて諦《あきら》めたように首を振って内海に向き直った。

「きみの上司からの伝言は確かに受け取った。私は――そう、残念だが、予定を変更してハワイで下船することにしよう」

「それが良いでしょう。きっと良い休暇になりますよ」

笑顔で頷く相手に、マクラウドは軽く手を挙げて言葉を続けた。

「それから、さっきの私の行為はどうか許してくれたまえ。私はまた――てっきりケルベロスだとばかり思ったのでね」

ケルベロス？

内海は微かに眉を寄せた。

「何でもない。忘れてくれたまえ」

マクラウドがそう言って肩をすくめた。

その時また、甲板上に集まった人たちの間からうわずった声があがった。

「船だ！　軍艦が近づいて来るぞ」

〝平和の海〟である、このハワイ近海に軍艦？　そんな馬鹿なことが……。

内海とマクラウドは二人同時に椅子から立ち上がった。

指さす人込みごしに海上を見やると、前方に現れた小さな船影が波を蹴立てて、朱鷺丸目指してまっすぐに近づいてくるところだった。

見る見るうちに灰色に塗りつぶされた船体が大きくなる。

船の前部と後部に三連装の砲塔が二基ずつ認められた。

「日本の軍艦だ！」

「嵐に遭った朱鷺丸が心配になって、迎えに来てくれたんだわ」

日本人船客のあいだから、はずむような声が聞こえた。

軍艦が直進の針路をやや斜めに変え、船尾にひるがえる軍艦旗《ホワイト・エンサイン》が初めて見えた。

「違うぞ、あれは日本の軍艦旗じゃない！」

甲板上に悲鳴に似た声が上がった。

「どこの船だ？　まさか……」

「おお、なんてことだ」

隣にいた若い外国人船客が、ドイツ語で喘ぐように呟く声が聞こえた。

「あれは……」

イ、イ、イ、イギリスの軍艦が昼なお目映い探照燈《たんしょうとう》を朱鷺丸に向け、後部の砲塔からいきなり一発の空砲を空に向けて放った。

5

朱鷺丸の甲板は一瞬時の流れが止まったかのように静まり返り、それから女性船客が上げるかん高い悲鳴に包まれた。

甲板に出て入港前の穏やかな時間を楽しんでいた船客たちは、一斉に蜘蛛《くも》の子を散らすように逃げ出した。後に残ったのは、制服姿の船員のほかは、内海とマクラウドを含む何人かの男性船客数名に過ぎなかった。原一等航海士の緊張した顔も見える。

甲板に残った者たちが息を詰めて見守る中、イギリス軍艦のマストにするすると旗が揚《あ》がった。

L旗。

――直《タダチ》ニ停船セヨ。

を意味する旗旒《きりゅう》信号だ。

甲板上の男たちは無言のまま、示し合わせたように同時に船橋《ブリッジ》を見上げた。

船橋では今頃、湯浅船長が双眼鏡をわしづかみにして、イギリス軍艦の動きを逐一追っているはずだ。

停船命令を受けた場合の無線の使用は、国際法で禁止されている。無線は必ず傍受される。暗号を使って内容を隠すことはできても、電波の使用自体は必ず露見するのだ。

日本本国へはおろか、近海の日本海軍に対しても無線で援護要請することは不可能。あえて無線をつかえば「砲撃を受けてもやむなし」と見做《みな》される。

現時点では船長判断が全てだった。

湯浅船長の判断如何《いかん》によっては、朱鷺丸に向けられたイギリス軍艦の砲塔から、今度は空砲ではなく、実弾が発射されることになる……。

朱鷺丸の四基のディーゼルエンジンが上げる微かな——いつもなら気づかないほどの振動が、人々の胸に改めて禍々《まがまが》しく意識された。

不意に、振動音が途絶えた。

出航以来、もはや空気のように当たり前のものとなっていたエンジン音が消え、奇妙な静けさが訪れた。

ストップ・エンジン。

湯浅船長が苦渋の選択を下したのだ。

エンジン停止を確認して、イギリス軍艦のマストに今度は別の旗が掲げられた。

D／L／1旗。

——我ガ方ノ短艇《ランチ》ヲ送ルベシ。

イギリス軍艦は向きを変え、すでに行き足の止まった朱鷺丸と船体を平行させた。

その間も前後二基ずつの砲塔はじっと朱鷺丸の船橋に向けられたままだ。

軍艦上で短艇《ランチ》の準備をするイギリス人水兵たちのきびきびとした動きが、もはや手に取るように見えた。

舷側を接するばかりの至近距離。

もし今、砲弾が発射されたならば、船橋はひとたまりもあるまい……。

逃れることは不可能。

彼らの意図が奈辺《なへん》にあるにせよ、イギリス軍艦から〝招かれざる客人〟がこの朱鷺丸に乗り込んでくるのは時間の問題だった。

「いやはや、こいつは驚いたね」

内海の隣に立っていたマクラウドが、ふうと小さく息を吐き、首を振った。

「予期せぬ出来事、というやつだ」

内海はマクラウドを横目で眺め、疑わしげに眉を寄せた。

イギリス軍艦の出現は、どうやらマクラウドにとっても、事実、不測の事態であったらしい。

「こういう状況を日本語の諺で何と言ったかな？　まな板の上の鯉？」

内海に向かってそう嘯くマクラウドの顔には、さっきまでとは打って変わった勝ち誇った表情が浮かんでいる。

「ここは一つ、じたばたせずに待つしかあるまい。となれば、こんな所にいても仕方がない。席に戻って続きをしようじゃないか」

続き、だと？

内海は無言のまま、目顔で問い返した。

「忘れちゃ困るな」

マクラウドはとぼけた口調で言った。

「クロスワードパズルがまだ完成していないんだ。彼らが来るまでに、急いで完成させるとしよう」


「あと、どこが残っていたかな？」

元のように右舷のデッキチェアに腰を下ろしたマクラウドは、解きかけのクロスワードをテーブルの上に開げ、いそいそした様子で手を擦り合わせて呟いた。

「ああ、ここだ、ここ。ヒントは〝ウォッカ、アンド、トマト〟。十マスで三文字目と四文字目が、二つながら〝O〟。きみ、何だかわかるかね？」

テーブルごしに、やはり椅子に腰を下ろした内海に尋ねた。

「……BLOODYMARY《ブラディメアリー》」

「イギリスの女王か。灯台もと暗し、だな」

マス目に丁寧に几帳面《きちょうめん》な文字を書き込みながら、マクラウドは満足げに呟いた。

「さてと、これで逆転だ。私が正体を明かせば、きみは有無をいわせずイギリス軍に拘束されることになる」

「逆転、とまでは言えないでしょう」

内海は無表情に答えた。

「彼らが何のためにこの船に乗り込んでくるのか、その目的にもよりますね。第一、私を拘束させるためには、あなた自身が先に正体を公にする必要がある。……引き分けといったところですね」

「おやおや、見くびらないでほしいな」

マクラウドはマス目を文字で埋め終えると、顔を上げ、ニヤリと笑って言った。

「きみならとっくに気づいているはずだと思ったがね。イギリス軍艦の目的は、この船に乗っているドイツ人船客たちだよ。先日イギリスは〝ドイツ人の技術者、徴兵適齢者、または宣伝謀略に従事する疑いのある者を乗船せしめざることを希望する〟との通達を日本政府宛に出している。つまり、この船に乗っているドイツ人船客の内、少なくとも条件に該当する者たちは、イギリス軍に拘束されて当然なのだ。

しかし、中立国日本の客船がイギリス軍艦の臨検を受け、日本の友好国であるドイツ人の船客が複数拉致《らち》された。となれば、日本国内の反英派が騒ぎだすに決まっている。横浜に入港する頃には、日本国内は大騒ぎになっているだろう。きみさえいなくなれば、日本の官憲の目などいくらでもごまかすことができる。騒ぎにまぎれて入国することは簡単だ。姿をくらます方法も、すでに手配してある。私にもプライドがある。きみたちの言いなりにはならない。入国して、姿をくらました後のことは——まあ、改めて考えるとするさ」

内海は無言で眉を寄せた。なるほどマクラウドの理屈は間違ってはいない。だが——。

「あと残っている箇所は……いや、待てよ。これは……」

マクラウドの視線が完成間際の盤面の一ヵ所で止まった。不意に顔色を変え、顔をしかめてペンを投げ出した。

「ま、こんなこともあるさ」

苦々しげに呟いたが、その言葉が何に向けられたものかは判然としなかった。

マクラウドが立ち上がり、テーブルに残っていたグラスを取り上げた。内海に向かって氷の解けたグラスを掲げ、日本語で言った。

「ウツミ、サヨナラだ。カンパイ!」

内海は表情を消したまま、やはり氷の解けた自分のグラスを取り上げて目の高さに掲げた。その時——。

グラスの中身を飲み干したマクラウドが、突然ぎょっとしたように目を大きく見開いた。

いや、目だけではない。何か叫ぼうとするようにマクラウドの口が大きく開かれ、無言のまま閉じられた。内海を憎々しげに睨《にら》みつけ、奥歯をきつく食いしばっている。見開かれた目からは今にも眼球が飛び出してきそうだ。

わずかに開いた唇の間から、途切れ途切れに言葉が絞り出された。

「貴様……やはり……ケルベ……」

それ以上は聞き取れなかった。

言葉の代わりに唇の端に血の泡が浮かび、次の瞬間、マクラウドの体がまるで糸の切れた操り人形のように椅子の中にくずおれた。

暗号名ケルベロス　後篇

6

午後一時十八分。

左舷《さげん》舷門下に横付けされたイギリス軍艦の短艇《ランチ》から、ライフジャケットをつけた男たちが次々に縄梯子《なわばしご》を上がって、朱鷺丸の甲板に姿を現した。

服装から判断する限り、〝招かれざる客人たち〟は士官クラス三名、水兵九名の合計十二名。全員が拳銃《けんじゆう》、もしくは軽機関銃で武装している。左舷下につながれた短艇にはさらに、同様の装備の士官一名と水兵五名の姿が見えた——。

船橋《ブリツジ》から降りてきた湯浅船長が、一等甲板上でイギリス人士官三名と向き合った。船長の背後には、原一等航海士以下朱鷺丸乗員二名。残念ながら、いずれも丸腰である。

「何のための停船か。どういうことなのか説明して頂きたい」

湯浅船長は少しもひるむ様子もなく、格調高い純正英語で語気強く尋ねた。

灰色の瞳《ひとみ》をした長身のイギリス人士官の一人が一歩前に出て、代表で口を開いた。

「航海中、このような形で停船させたことは大変申し訳なく思います。ですが、貴船にはわが大英帝国の敵国人が乗っているという情報が寄せられています。事実であれば、その者たちを引き渡して頂きたい」

慇懃《いんぎん》ながら有無を言わせぬ強引な態度――いかにもイギリス人らしい。

湯浅船長は臆《おく》せず続けた。

「言っている意味がわかりかねる。敵国人というのは誰のことか」

「これはしたり。敵国人が、現在わが大英帝国と交戦中であるドイツ国民一般を指すのは自明のことでありましょう。改めて尋ねます。この船に、ドイツ人船客は乗っていますか？」

「確かにドイツ国籍のお客様はいらっしゃる」

「ならば、速やかに彼らを引き渡して頂きたい。国際法から見ても、当方には彼らの引き渡しを要求する権利があります」

「私の方には引き渡す理由はない。国際法上、引き渡しを要求できるのは軍人及び軍属に限るはずだ」

「この船に乗っているドイツ人は軍属であると、我々は認定しています」

「ドイツ人だから軍属だというのは理由にならない。そもそもドイツ国籍を持つ船客の多くは婦人や子供たちだ。彼らが軍属というのは、国際法上から言っても理屈に合わない」

「では、こうしましょう。当方でドイツ人船客を一人一人取り調べて、軍属と判断した者だけを連行します。許可して頂けますね？」

「だめだ。許可するわけにはいかない」

きっぱりとした拒絶の言葉に、イギリス人士官は驚いたように目を丸くした。

「これは妙なことをおっしゃる。そもそも貴船はいま、当方の臨検を拒絶できる立場にはないはずですが？」

そう言って、海上に浮かぶイギリス軍艦にちらりと目を向けた。

軍艦に装備された四基十二門の大砲が黒々とした砲口を覗《のぞ》かせ、朱鷺丸に向けてまっすぐに狙いを定めている。

「銃で脅して、強引に臨検を行うつもりなら、最初から国際法など持ち出さないことだ」

湯浅船長は憮然《ぶぜん》とした面持ちでそう言うと、イギリス人士官の背後にじろりと目を向けた。

「そもそも当方には貴艦名すらわからない。許可などできるはずがあるまい」

軽機関銃を斜めにかまえ、緊張した面持ちで立つ九名のイギリス人水兵たち。彼らの帽子からは、本来そこに示されるべき所属艦名が剝《は》ぎ取られている。

海上のイギリス軍艦も、船の側面がペンキで塗りつぶされ、艦名を消し去っていた。

「私はキャプテン・ユアサ。朱鷺丸の船長だ」

湯浅船長が視線を戻し、改めて自己紹介をした。

「今度は貴殿が名乗りたまえ。貴艦の名は？」

「ノー・ネイム」

イギリス人士官は平然とした口調で答えた。

「作戦上、艦名を教えるわけにはいきません。私個人の名前についても同様です」

「ふん。名乗らず、銃で脅し、強引に連れ去るというわけか――まるで海賊だな」

「わが国は現在戦争遂行中なのです。やむを得ません」

士官はそう言って肩をすくめると、背後を振り返って水兵たちに命じた。

「これよりドイツ人船客の取り調べを行う。船客名簿を確保。当方のリストと照らし合わせろ。ドイツ国籍の者は全員取り調べるので連れてくるんだ。一人も逃すな！」

向き直り、ベルトから拳銃を引き抜いて原一等航海士に突きつけた。

「この船の船客名簿を提出願います」

相変わらず慇懃。だが、冷ややかなその声は、命令を拒んだ場合の結果をはっきりと示していた。

ドイツ人船客の取り調べには朱鷺丸の一等談話室が使われることになった。

イギリス人水兵たちが船内を駆け回り、ドイツ人を見付け次第、銃を突きつけて談話室にひっぱっていく——。

内海は白いパナマ帽を目深にかぶり、右舷甲板のデッキチェアに座ったまま、その気配にじっと耳を澄ましていた。

目の前のプロムナードを、イギリス人水兵たちが何度か慌ただしく走り抜けた。

その内の一人が足を止め、内海に命じた。

「顔を見せろ！」

帽子のつばを上げた。

「貴様、日本人だな。名前は？」

ウツミ。オサム、ウツミ。

名乗った後、内海は唇に人差し指を当て、お静かに、と相手に注意を促した。

イギリス人水兵はそう言われて、壁際のデッキチェアに座るもう一人の男の姿に初めて気づいた様子だった。

目を閉じ、頭を垂れて、椅子に深く座り込んだその男は、一見してアメリカ人——。少なくとも、ドイツ人《ジャーマン》には見えない。あまりにもひっそりと座っているために、これまで放っておかれたらしい。

眠る男に目をむけた水兵はその時、ふと妙な感じにとらわれた。静かすぎる。この男はまるで……いや、しかし……まさかそんなことが——。

「彼は本当に眠っているだけなのか？」

水兵は小声で内海に確かめた。

「これだけの騒ぎになっているというのに？　もしかして、彼はどこか具合が悪いんじゃないのか？」

内海は身を乗り出し、やはり小声で答えた。

「どんな騒ぎも、もはや彼の眠りを邪魔することはできません。なにしろ彼は死んでいるのですから」

冗談、だと思ったのだろう。

水兵は手を伸ばして男に触れ、本当に死んでいるとわかった途端、死者を目覚めさせるほどの大声をあげながら、転がるように仲間のもとに走り去った。

ドタドタと幾つかの足音が近づいてきて、不意に陽射しが遮られた。

つばごしに目を上げた内海は、正面に長身のイギリス人士官が立っているのを確認した。背後に水兵二人を引き連れている。

「失礼。あなたがウツミさんですか」

無言で頷《うなず》いてみせる。イギリス人士官は空いた椅子に視線を向けた。

「ご一緒させて頂いてもいいですかな？」

「さあ、どうでしょう」

内海はとぼけた口調で呟《つぶや》き、小首を傾げた。

「本来は船賃を払った者だけが使用可能な椅子なのですが、なに、かまいません。どうぞお座り下さい。ただし、この船の乗員には内緒ですよ」

冗談めかして許可すると、イギリス人士官は内海の隣の椅子に腰を下ろした。

さてと、と彼は早速口を開いた。

「ウツミさん、貴方にいくつかご説明して頂きたいことがあります」

「何なりと」

「単刀直入にお伺いします。あちらで死んでいる方は何者です？」

「ジェフリー・モーガン。アメリカ人。サンフランシスコで小さな貿易会社を経営している。――本人はそう言っていました」

「お知り合い、だったのですか？」

「知り合い、という定義によりますね」

内海は眉間《みけん》にしわを寄せて答えた。

「彼とはさっきここで知り合いになって、一緒にクロスワードパズルを楽しんでいたのです。彼は、そう、なかなかのプレーヤーでしたよ。その意味では知り合いと言えるでしょう。一方、自己紹介された以外、彼については何も知りません。その意味では知り合いとは言い難い」

「するとあなたは、その程度のお知り合いのために、わざわざここで……何と言うか、その……」

「彼の死体の番をしていたか、ですか？」

「はっきり言えば、そうです」

「モーガン氏とは、先ほども言ったとおり、この場所で知り合いになり、一緒にクロスワードパズルを楽しんでいたのです。ところが、パズルを完成させる前に邪魔が入った。——貴方たちです」

「それは申し訳ないことをした。しかし、我々がパズルを邪魔したことと、モーガン氏が亡くなったことにはどんな関係があるのです」

「それは私にもわかりません」

内海は肩をすくめた。

「我々二人はそれぞれ席を立った。そして、戻ってみるとモーガン氏が椅子に座ったまま亡くなっていたのです」

内海は言葉を切り、相手の顔をまっすぐに覗き見て、先を続けた。

「貴方たちのせいで、ただでさえ船上はすでに混乱を来していました。モーガン氏がどんな理由で亡くなったのかわかりません。ですが、妙なタイミングで妙な死体が発見されればさらなる混乱を引き起こす可能性がある。この船にはご婦人方も多く乗っていらっしゃる。不要な騒ぎは好ましくない。そこで私はこの場に留まり、死体の番をしていた——と、まあ、そういうわけです」

イギリス人士官は目を細め、灰色の瞳で内海を眺めた。その表情からは、疑いの念がはっきりと読み取れた。視線はそのまま、慇懃に口を開いた。

「ウツミさん、あなたのお陰で、無用な騒ぎを避けることができました。ご協力感謝いたします。モーガン氏は急病ということにして、この船の医務室に運ばせましょう」

「それがいいでしょうね」

内海は軽く肩をすくめて言った。

「後はお任せしました。それじゃ、私はこれで」

立ち上がると、イギリス人士官が慌てた様子で内海を引き留めた。

「待ってください。あなたは我々と一緒に来てもらいます。死体を発見した時の詳しい状況を、もう一度詳しく聞かせて下さい」

「やれやれ、もう一度ですか」

内海はそう言って帽子を持ち上げ、頭を掻《か》いた。

「面倒だな。しかし、まあ、仕方がない。ご一緒しましょう」

士官の後に続き、武装した水兵たちとの間に挟まれるようにして歩きだした。

——ここまでは計算どおりだ。

無造作にかぶった帽子の陰で、内海は一瞬ニヤリと満足げな笑みを浮かべた。

7

呼び出しを受けたのは四週間前。

ドアをノックして部屋に入ると、明るい窓を背にデスクに座る黒い人影が正面に見えた。

目を細め、光量を調節して人影に焦点を合わせる。

五十年配の瘦《や》せた男。伸ばした髪をなでつけ、地味な灰色の背広を着ている。とても軍関係者には見えないが——。

結城中佐。

大日本帝国陸軍内に設立された秘密諜報機関を率いる、歴《れっき》とした上級将校だ。通称〝D機関〟。結城中佐は専ら軍外で教育を受けた者たちを選抜採用し、有能なスパイに育て上げた。軍人以外の者を〝地方人〟と呼んで見下す風潮がある日本軍の中では、異例の方針だ。

軍上層部では今もD機関を蛇蝎《だかつ》のごとく忌み嫌い、「軍外の者たちを使うスパイ組織など、箱の中に紛れ込んだ腐った蜜柑《みかん》のようなものだ。奴らはきっと軍全体を駄目にする」、そう息巻く者も少なくない。だが、結城中佐は意に介する様子もなく、成果を上げることで組織の活動の手を着実に広げてきた……。

とっさに情報を頭の中で整理して、覚えず口元に微苦笑が浮かんだ。

視界に入る全ての人物情報を反射的に整理反芻《はんすう》してしまうのは、D機関での訓練の副作用だ。尤《もっと》も、直属の上官でありながら、D機関に所属する者たちにとってさえ、結城中佐は大いなる謎であった。開示されているのは偽の経歴《カバー》であり、彼が普段訓練生たちに見せている外見も、おそらく素のままではあるまい。

魔王。

D機関の訓練生は、畏怖《いふ》と敬意を半ばに、結城中佐をそう呼んでいる。

近づくと、結城中佐はじろりと目を上げ、デスクの上に置いた新聞に軽く顎《あご》をしゃくってみせた。

デイリー・テレグラフ紙。

イギリスで発行されている日刊新聞だ。日付は一週間前のものだった。

手に取り、紙面に素早く目を通した。

一面トップは戦争遂行に関する英国の政府決定。だが、違う。これではない。結城中佐がわかりきった新聞記事についての意見を求めるために、わざわざ自分を呼び出すはずがない。トップ下は戦時下におけるイギリス国民の心得……これも違う。ページをめくる。……戦争相手国であるドイツの声明……配給情報……王室ゴシップ……。いずれも結城中佐の興味を引く価値のある情報とは思えない。では、なんだ？　あとは……。

開いた紙面の隅に視線が吸い寄せられた。

一見何でもない、クロスワードパズル。

世界中でおよそイギリス人ほどクロスワード好きの国民はあるまい。祖国が戦争遂行中であろうが、亡国の危機に瀕《ひん》していようが、英字新聞には新作のクロスワードパズルが必ず掲載されている。だが、これは——。

頭の中で、もう一度情報を確認した。

間違いなかった。

パズルの答えとなる英単語は、デイリー・テレグラフ紙の通常読者の知能レベルをはるかに超えたものだ。新聞に限らず、パズルはそれを目にする読者の知能程度に合わせて難度が設定される。難しすぎても、易しすぎても意味をなさない。

パズルの下に小さな文字で、

「このクロスワードを十分以内に解けた者は編集部まで」

との文言がさりげなく付記されていた。

普段のパズルには見られない但し書きだ。だとすれば——。

顔を上げ、口を開いた。

「出題者は、おそらくイギリスの秘密諜報機関。暗号解読チーム編制のための人員募集の一環でしょう」

素っ気なくそう言うと、結城中佐が無言のまま軽く頷いてみせた。


欧州大陸では、ドイツ軍が破竹の快進撃を続けていた。

〝電撃戦〟と呼ばれるドイツの新戦略に対して、連合国軍はほとんどなす術《すべ》もなく敗北、退却を余儀なくされていたのだ。

〝電撃戦《ブリッツクリーク》〟。

高速で移動する戦車部隊が突如姿を現し、前線を突破。戦車による一斉砲撃と同時に、空から最新鋭爆撃機〈シュトゥーカ〉が編隊をなして飛来し、次々に急降下爆撃を加える。その後、快速の運搬車両に乗った歩兵大部隊が一気に敵陣地を陥れる——。

ことにシュトゥーカが急降下する際に発する空気を切り裂く鋭い音は、連合国軍兵士たちの戦意を著しく喪失させた。

電撃戦を可能にしたのは、ドイツの二つの近代工業技術の成果であった。

一つは、言うまでもなく、高速で移動する戦車部隊や急降下爆撃を行う高性能戦闘機の開発である（殺人兵器の開発に、ドイツ民族の勤勉さと高い能力がいかんなく発揮された）。

そしてもう一つ、さらに重要な要素が、迅速で安全な通信システムの実現――即ち〝エニグマ〟であった。

電撃戦の要点は、敵の予期せぬ地点に戦車部隊を素早く集結。前線を一気に突破すると同時に、同じ地点に空から急降下爆撃機で攻撃を加え、さらに快速運搬車両で歩兵を大量投入して、陣地を占領することにある。

そのために必要なのは、攻撃命令の全部隊への一斉伝達だ。

伝達スピードを重視するため、命令は必然的に無線を使って行われる。が、無線には一方で、敵味方の区別なく傍受可能という致命的な欠点がある。

あらかじめ敵に作戦地点と時間を知られたのでは、電撃戦はそもそも成立しない。

電撃戦の遂行命令は、味方には確実に意味が伝わり、一方で敵には意味不明なものでなければならない。言い換えれば、電撃戦とは解読不可能な暗号システムが開発されたことによって初めて生まれた戦略プランなのだ。

小型軽量で携帯性に優れ、蓄電池でも作動するエニグマ暗号機は、戦車部隊、さらには戦闘機にも配備され、作戦の同時展開を実現した。

二百兆とも三百兆とも言われる組み合わせを持つエニグマ暗号ならば、たとえ作戦命令無線を敵に傍受されたとしても、攻撃地点、時間を事前に知られることはない。

小型のエニグマ暗号機はドイツ海軍の秘密兵器Uボートでもその威力を発揮した。

エニグマ以前、Uボートは海面下を潜行するその性質上、一度港を出た後は単独で行動し、敵国商船の航路で待ち伏せ、もしくはたまたま遭遇した敵船を攻撃するだけであった。

エニグマ暗号機の登場は、Uボートに〝狼群攻撃《グルッペン・タクティーク》〟と呼ばれる新たな戦術を可能にした。

一隻のUボートが海上を航行する連合国の輸送船団を発見すると、エニグマ暗号機を使って仲間のUボートに連絡。十隻ないし二十隻のUボートが海面下に集結した後、それぞれがターゲットを決め、闇に紛れて輸送船を攻撃する。

あたかも飢えた狼の群れが獲物に襲いかかるが如く。

Uボートによるこの〝狼群攻撃〟は、連合国の輸送船団に甚大な損害を与えた。輸送船団がまるごと消滅する事態さえ少なくなかった。

軍事大国フランスが呆気《あっけ》なく降伏した後、連合国軍の中心となったのはイギリスである。そのイギリスは、食糧を含む資源のほとんどを海外の英国領及び植民地に依存している。Uボートによる〝狼群攻撃〟は――ちょうど〝電撃戦〟が前線兵士たちの戦意を喪失させたように――銃後のイギリス国民の気力を奪い、国内にははやくも厭《えん》戦《せん》気分が広がりはじめていた。

イギリスの降伏を戦争目標の一つに掲げるナチス・ドイツにとっては、願ってもない事態だった。

〝電撃戦〟さらには〝狼群攻撃〟を可能にしたエニグマ暗号機。

小型のタイプライターに似たその小さな装置が生み出す暗号システムこそが、二度目の世界大戦の行方を左右する要石《キーストーン》と言っても過言ではなかった。

――英国秘密諜報機関は近く必ずやエニグマ暗号解読チームを招集する。

結城中佐がそう予言したのは、欧州でドイツ軍が快進撃を始めた直後であった。

考え自体は、さして特別なものではない。

事実、日本陸軍参謀本部においても、ほぼ同時期に、

「現在のナチス・ドイツの軍事作戦は、エニグマ暗号に多く依存している。ドイツとの戦争状態に入ったイギリスが、これに挑むのは論理的必然である」

との議論がわきおこり、陸軍参謀本部暗号班が総掛かりでエニグマ暗号の解読可能

性を徹底的に検討したことがあった。

ありとあらゆる角度から検討が加えられ、その結果彼らが得た結論は、

――エニグマは解読不可能。

大日本帝国陸軍参謀本部暗号班は、陸軍士官学校、陸軍大学校をトップクラスで卒業したエリートたちで占められている。彼らが不可能と結論した以上、絶対に不可能。たとえイギリスが、解読チームを作ったところで結論が変わるはずはない。

報告書は、念には念を入れ、次のように結論されていた。

「たとえ何らかの事故によってイギリスがエニグマ暗号機本体、さらにはドイツ軍が使用している暗号表《コードブック》を入手する事態が起きても、暗号表が日々更新されること、またエニグマ暗号機を操作する際オペレーターがランダムにキー・コードを設定することなど、充分な解読防止策が施されているので、実際の作戦においてこの暗号を破り、あるいは逆利用することは絶対に不可能である」

陸軍上層部が報告書に安堵《あんど》したのには理由があった。

日本の陸軍が用いている暗号はドイツのエニグマと同じ原理で開発されたものなのだ。

数年前、ナチス総統ヒトラーは同盟国日本とイタリアにエニグマ暗号機の試作品を提供した。エニグマ暗号が誇る鉄壁の機密性は暗号機本体にではなく、システム運用

にこそ存する。その事実を、ヒトラーは賢明にも見抜いていた。日本とイタリアに暗号機の試作品を提供しても、エニグマ暗号の機密性は脅かされることはない。逆に、日本とイタリアが類似した暗号システムを用いることで、敵国イギリスをいっそう混乱させることができるはずだ、そう考えての行動であった。

事実、日本の陸軍はナチス・ドイツから提供されたエニグマ暗号機の仕組みを利用して、〝紫暗号〟と呼ばれる日本独自の暗号システムを作り上げた。

かつて日本軍、のみならず日本の外務省の中には、暗号を軽視する風潮があった。

「日本語は神代《かみよ》の時代から伝わる神聖にして特別な言語だ」

あるいは、

「文字を縦ではなく横に記す毛唐《けとう》どもに、繊細微妙な日本語が理解できるはずがない」

そう言って憚《はばか》らぬ者たちが、いまだに後を絶たない。

裏を返せば、自分たちが外国語の習得を苦手とすることの正当化に過ぎないのだが、「神国《しんこく》日本」などという言葉が広く流布するにつれて、日本語そのものを特別視することがあたかも正しいと見做《みな》されるようになっていた。

外国語の習得、及び暗号の必要性を馬鹿にする者たちは、国際会議の場から（暗号化されていない）平文《ひらぶん》で本国に会議方針を打電し、参加各国に手の内を明かしたまま会議を行うという信じられないヘマを何度もくりかえした。当然、日本の国益は著しく損なわれた。こんにち日本が国際社会で孤立する事態に至ったのも、彼ら軍人、政治家、官僚たちが暗号軽視のお粗末な外交交渉を続けたせいだとも言える。

三年前、中国大陸で泥沼の戦争を始めて以来、軍部はさすがに暗号の重要性を痛感し、ドイツのエニグマに独自の改良を加えて高度な紫暗号を生み出した。

万が一、エニグマ暗号が破られるのであれば紫暗号も安全とは言い難い。

エニグマ解読は絶対に不可能。

暗号班の結論は、取りも直さず、日本軍は今後暗号面での心配は一切無用であることを意味していたのだ。

結城中佐はしかし、参謀本部の報告書を一瞥《いちべつ》しただけで屑籠《くずかご》にほうり込んだ。そして、訓練生たちを集めて、

「ドイツの軍事作戦がエニグマ暗号に依存し、かつこれが有効であり続ける以上、英仏は近く必ずや暗号解読チームを編制する。彼らは〝不可能〟に挑み、これを〝可能〟に変えるだろう。どんな暗号もいつかは破られる。無線を使った暗号命令は必ず相手側に傍受、解読されている。今後もその前提で行動しろ」

と冷ややかに言い渡した。

訓練生たちもまた、結城中佐の言葉を当然のように受け取った。

——絶対に正しい答えなどというものは、この世のどこにも存在しない。

その言葉を、彼らは既に嫌というほどたたき込まれていたのだ。


結城中佐が一綴《つづ》りのファイルをデスクの上に滑らせた。

ファイル名は〝内海脩〟。

それが今回の作戦で用いる偽名というわけだ。ファイルの中の書類には、作戦中、身にまとうべき偽の経歴《カバー》の詳細が記されているはずだった。

ファイルを受け取った瞬間から作戦は開始される。

内海はファイルを開き、書類をめくりながら、顔も上げずに尋ねた。

「今回の作戦目的は何です？　イギリスの暗号解読チームの監視には、すでに別の奴を派遣したはずだと思いましたが」

補佐任務など、ごめんだ。

言外にそう滲《にじ》ませた。

結城中佐は表情一つ変えず、別のファイルを寄越《よこ》した。

報告書冒頭に、一枚の写真がペーパークリップでとめてあった。隠し撮りされたものらしい写真の中央に、横向きの男の顔が赤く丸で囲まれている。

「ルイス・マクラウド。先の欧州での戦争の際、英国秘密諜報機関に雇われ、ドイツの暗号解読に活躍した男だ」

結城中佐は感情のない低い声で要点を告げた。

専門は言語学。戦争終結後も大学には戻らず、英国秘密諜報機関で暗号解読の中心的人物として活躍。暗号名は〝教授《ザ・プロフ》〟。

「彼が最近、イギリス国内から姿を消した。変装して、日本に入国するつもりらしい」

内海は初めてファイルから顔を上げ、写真を指で弾《はじ》いて尋ねた。

「それで、こいつをどうしろというのです?」

「日本に来させるな」

――なるほど。

内海は唇の端を軽く引き下げた。

要するに今回の任務は〝何者かに変装して日本に入国しようとするイギリス人スパイを特定して接触、彼に日本への入国を断念させること〟というわけだ。

言うだけなら、実に簡単である。

問題は、彼がどんな変装をしているのか不明なことだが――。

内海はファイルに挟まれていたマクラウドの写真を手にとった。

外見の手掛かりは、隠し撮りされた写真一枚だけだ。が、どうせ顔を変えている。

特徴だけ押さえられれば良い……。

結城中佐は机の上に両肘《ひじ》をつき、指を組んで、内海を眺めている。

できるか？

などという修辞疑問は不要であった。

「それで、具体的にはどうやります？」

「マクラウドはアメリカに渡った。状況を考えれば、日本に来るには太平洋経由の船便しかありえない。船上で奴を捕捉《ほそく》して、ハワイで下船させろ。貴様はそのまま日本に。マクラウドの身柄は現地の者が引き継ぐ」

捕捉し、無効化する。

対スパイ作戦の基本だ。

現地の人間が身柄を引き継ぐというからには、逆スパイにでも仕立てるつもりなのだろう。

内海は残りの頁を素早くめくり、一読し終えると、そのまま結城中佐に返却した。

必要な情報はすべて頭に入れる。

証拠となる紙の資料は一切残さない。

それがD機関のやり方だった。

アメリカに渡った内海は、マクラウドが〝ジェフリー・モーガン〟の偽名で朱鷺丸に乗船しようとしていることを突き止めた。米西海岸から日本に向かう船の数は限られている。乗船チケットはすべて予約制。日本に船で向かうことが判明している以上、いくら顔を変えようとも、D機関で訓練を受けた内海の目には〝アメリカ人貿易商ジェフリー・モーガン〟がイギリス人ルイス・マクラウドの偽装であることは明らかだった。

だが、サンフランシスコ港を出航直後から朱鷺丸を襲った酷《ひど》い嵐のせいで、内海はなかなかマクラウドと二人きりで話をする機会を見つけられなかった。

もとより、標的《ターゲット》との接触を偶然に頼るつもりはない。

乗船当初は、船内のレストランや喫煙室で偶然を装って近づき、機会を見て二人きりで話をつけるつもりでいた。だが、激しく船が揺れ動く中、船酔いに悩まされる乗客の多くはレストランやバー、喫煙室にさえ姿を現さなかった。そして、やっかいなことにマクラウド＝モーガンもその中の一人だったのだ。

内海はそこで、ポーターの服を密《ひそ》かに拝借し、給仕係を装ってマクラウドの船室に入ることを試みた。が、マクラウドはなぜか何人《なんぴと》といえども部屋に入れようとしなかった。部屋の掃除は拒否。必要な品はドアの前に置かせた。しかも、覗き穴から通路に人気《ひとけ》がないことを確認して、素早くドアを開け、部屋の中に引き込むという用心深さだ。

強引にことを運んで騒ぎ立てられては元も子もない。

ようやく嵐が収まった後、ハワイ入港直前の一等船客専用デッキは最後の、そして恰好《かっこう》のチャンスであった。

内海は解きかけのクロスワードパズルという餌を使うことでマクラウドを見事に捕捉し、無効化した。

作戦終了。

そのはずだった。ところが――。

予期せぬ事態が発生した。

戦場を遠く離れた中立地帯である太平洋ハワイ海域に、突如イギリスの軍艦が現れ、朱鷺丸に停船を命じた。そしてその直後、内海の目の前で、マクラウドが不可解な謎の死を遂げたのだ。

マクラウドの死亡を確認した内海は、とっさに死んだ男の口の端に浮かんだ血の泡を拭《ぬぐ》い取り、瞼《まぶた》を閉じて、一見して彼が眠っているかのような姿勢を整えた。

その上で、臨検のために乗船してきた九名のイギリス人水兵を観察し、適当な相手を選び出した。あの水兵が内海に声をかけたのは偶然ではない。内海のちょっとした動作が、本人にも気づかない形で注意を引きつけたからだ。マクラウドの死体を発見した気の小さな水兵は、案の定たちまち大騒ぎをして、この作戦の指揮官であるイギリス人士官の一人を引っ張ってきた。

指揮官に対して直接、

——死体の番をしていた。

と主張すれば、彼は必ずや内海を怪しみ、詳細な取り調べを行うべく向こうから声をかけざるを得なくなる。

そう計算しての行動だった。

事件を調査し、真相を突き止めるためには、自分から事態の真ん中に飛びこんでいくしかない。

虎穴《こけつ》に入らずんば虎児を得ず。

〝見えない存在〟であるべきスパイにとっては危険な賭《か》けだが、それしか手は残されていなかったのだ。

8

長身のイギリス人指揮官の後に続いて一等談話室に入っていくと、ちょうどドイツ人船客の取り調べが始まるところであった。

集められたドイツ人船客は二十名ほど。いずれも大人の男ばかりだ。婦人や子供はそもそも取り調べの対象外ということらしい。

部屋の反対側の隅には苦虫を噛《か》み潰《つぶ》したような顔で座る湯浅船長以下、緊張した面持ちで立つ原一等航海士、そのほかに何人かの日本人船員たちの姿も見えた。

イギリス人指揮官は内海を部屋の隅に案内して、少し待つよう耳打ちした。

「彼らの取り調べを先に済ませます」

そう言って、内海から離れた。

朱鷺丸一等談話室は本来、アールデコ調の優美な家具と、ゆったりとした雰囲気が売り物だ。が、さすがにこれだけの人数が集まると息苦しい感じは否めない。むさ苦しい男ばかり、しかも全員険悪な顔付きで黙り込んでいるとあっては尚更《なおさら》だった。

イギリス人指揮官は、居並ぶドイツ人船客たちの前に歩み出た。

原一等航海士が提出した船客名簿と軍艦から持参した一枚のリストを見比べ、一人のドイツ人船客に視線を向けた。五十年配、がっしりとした体格の、白い髭面《ひげづら》の男だ。イギリス人指揮官は相手が英語がわかることを確かめてから、慇懃な口調でパスポートの提出を求めた。

壁際には武装した数名のイギリス人水兵が控えている。

拒絶は不可能だった。

男が渋々パスポートを差し出した。

パスポート写真と本人の顔とを見比べたイギリス人指揮官は、すぐに素っ気なく宣言した。

「あなたを収容します」

尋問は一言もなし。収容理由も明かされなかった。

何人かのドイツ人船客の顔がたちまち朱に染まった。ドイツ語で低く不平の声が上がり、人垣の中からこぶしが幾つか突き上げられた。

壁際に控えたイギリス人水兵たちが体を強ばらせ、ベルトから拳銃を引き抜いた。

室内に一瞬、緊張が走った。

が、丸腰のドイツ人たちにはそれ以上抗議の仕様もない。彼らは諦《あきら》めたように声をひそめ、肩をすくめた。

イギリス人指揮官は何ごともなかったかのように、表情一つ変えず、残りのドイツ人船客に対して次々にパスポートの提示を求めた。

リストと突き合わせて、船客の等級を問わず、何人かに収容を宣言した。

相変わらず、尋問は一言もなし。収容理由も明かされないままだ。

尤も、イギリス・ドイツ双方、さらには立会人として呼ばれた日本人船員たちの目にさえ、彼らの収容理由は明らかだった。

収容を宣言されたのはいずれも、乗船時に朱鷺丸の船員たちが「ドイツの貨物船ゲルマニア号の乗員ではないか」と疑った者たちばかりだ。

ドイツの要望を受けた日本政府がゲルマニア号乗員を密かに日本経由、シベリア鉄道を使ってドイツに送ろうとした――あるいは、ドイツとの関係強化を望む日本陸軍上層部の独断だったのかもしれない。いずれにしても、日本の姑息《こそく》なもくろみに気づいたイギリスは、中立地帯であるハワイ海域に軍艦を派遣して、ドイツ人船員の奪取を試みた……。

それがこの異例の騒ぎとなったわけだ。

とすれば、最初に収容を宣言された、がっしりとした体格の白い髭面の男はゲルマニア号の船長ハンス・イエーガー氏。以下ゲルマニア号の航海士、機関士、火夫、無線技師、といったところであろう。

最終的に十二名のドイツ人船客が「収容」を宣言された。

彼らは六名ずつ二組に分けられ、監視付きでいったん船室に戻り、手回り品だけを持ってデッキに集合。朱鷺丸に横付けされた短艇《ランチ》でイギリス軍艦に身柄を移される手筈《てはず》となった。

大柄なドイツ人船客十二名が監視役のイギリス人水兵に伴われて姿を消すと、談話室は急に広く感じられた。

「お待たせしました。今度は貴方の番です」

イギリス人指揮官は内海を振り返り、談話室中央に置かれたテーブルに促した。

その時までに内海は、湯浅船長以下日本人船員たちに簡単に事情を説明しておいた。

内海は、イギリス人指揮官とテーブルを挟んで向き合う形で腰を下ろした。

「この船で不幸にも人が一人亡くなりました」

イギリス人指揮官は、内海にまっすぐに目を据えて言った。

「ちょうど、我々がお邪魔したタイミングだということですが、いったい何があったのです？　今一度、詳しく事情を説明してください」

「何度話しても同じですよ」

内海は軽く肩をすくめて言った。

甲板で知り合ったアメリカ人J・モーガン氏とクロスワードパズルを楽しんでいたところ、海上にイギリスの軍艦が見えた。突然の空砲に驚いて席を立ち、戻ってみると、モーガン氏が椅子で死んでいた。船の上は既に混乱を来していた。この船にはご婦人方や子供たちも少なからず乗っている。彼らをこれ以上怖がらせたくはないと思い、死体の番をしていた……。

イギリス人指揮官はその間、何げないふうを装いながら、灰色の瞳で内海の様子をじっと観察していた。

何度も同じことを話させるのは、取り調べの基本だ。話し手が隠しごとをしているなら、何度も話すうちに必ずボロが出る。前と違うことを言う。矛盾することを言い出す。話す時の態度がおかしい。何でも良い。優れた尋問者は、針の穴ほどの綻《ほころ》びから話し手の嘘を見破ることができる。

だがそれも、プロのスパイが相手となれば話は別だ。スパイは普段から偽の経歴《カバー》を身にまとって生きている。カバーが見破られた時点で、任務は失敗。場合によっては文字どおりの死が待ち受けている。

スパイにとって綻びのない嘘をつくことは呼吸をするほど自然なことなのだ。ましてや、結城中佐の下、D機関で訓練を受けた内海の言葉から嘘を見破ることは、スパイ専門の尋問官でない限り不可能だ。

内海が口を閉じると、イギリス人指揮官は眉《まゆ》を寄せ、しばらく思案する様子であった。首を振り、ため息をついて言った。

「すると、ウツミさん、あなたは亡くなったモーガン氏については、名前のほかは何一つご存じないとおっしゃるのですね？　あなたは、ろくに知りもしない相手とクロスワードパズルを楽しんでいたのだと？」

「船の上での付き合いですからね。別におかしくはないでしょう」

内海はもう一度肩をすくめてみせた。事実、

——ジェフリー・モーガン。サンフランシスコで小さな貿易会社を経営しています。

死んだ男はそう自己紹介したのだ。

それが、この船に乗るために彼が誂《あつら》えた表の顔だった。

裏の顔はルイス・マクラウド。英国秘密諜報機関に雇われた暗号の専門家だ。暗号名は〝教授《ザ・プロフ》〟。

だが、目の前のイギリス人指揮官に事実を明かしても仕方がない。それより——。

「モーガン氏はなぜ亡くなったのです？」

内海は天使のごとき罪なき顔で尋ねた。

「こんなことは言いたくないのですが、私は、あなたがたイギリスの軍艦が急に空砲を撃ったので、モーガン氏が心臓麻痺《まひ》を起こしたのではないかと疑っているのですが……」

談話室に残っていた日本人船員たちの間にざわめきが起きた。内海の言葉が正しいのなら、朱鷺丸の船客の死はイギリス軍艦が原因ということになる。

殺人の疑いをかけられたことで、イギリス人指揮官の顔に初めて動揺の色が浮かんだ。彼は、先ほど水兵の一人が持ってきた書類に目を落として言った。

「これはモーガン氏を検死したわが方の軍医と、この船の船医の共同所見書です。こ

れによると、彼の死因は……いや、待てよ。そんな馬鹿な……」

書類に最後まで目をとおして、顔を上げた。

「死因は青酸化合物による中毒死。……それが両ドクターの統一見解です」

イギリス人指揮官の言葉に談話室は気まずい沈黙に包まれた。

青酸化合物による中毒死。

その意味するところは──。

「モーガン氏はこの船上で何者かに毒を盛られて殺された、つまり、毒殺されたと言うのか？」

妥協を許さぬ厳しい声に、全員が一斉に振り返った。

声の主は、湯浅船長だ。

「いや、それは……まだ、毒殺されたと決まったわけではありません……」

イギリス人指揮官が先ほどまでとは打って変わった歯切れの悪い口調で言った。

「例えばモーガン氏は何らかの理由で自ら毒を飲んだ、つまり自殺したのかもしれません」

「自殺？　ハワイ入港を目前に控えた、このタイミングで？」

湯浅船長が眉をひそめ、信じられないといった顔で呟いた。

「いずれにしても、こうなった以上は、お互いこれでお別れというわけにはいかなくなりました」

イギリス人指揮官が困惑したように言った。

「アメリカ人モーガン氏が亡くなった経緯が明らかになるまで、我々はこの船に留まります。良いですね？」

「無論だ」

湯浅船長が立ち上がり、きっぱりとした態度で言った。

「私としても、事態がはっきりするまでは、何人《なんぴと》といえどもこの船を離れないよう要求する。船が海上にある間、船長である私が船で起きたことに関して全責任を負っている。大事なお客様の一人が亡くなった——しかも、何者かに殺された可能性がある。となれば、殺人犯かもしれない人物を、この船から立ち去らせるわけにはいかないのでね」

そう言うと、二つの船の責任者は激しく睨《にら》みあった。

9

合議の結果、日英合同の捜査が行われることになった。

最初にイギリス側の了解を得て、モーガン氏のパスポートを発行したアメリカ領事館宛に身元確認問い合わせの無電が打たれた。

死んだのがアメリカ人であることが、事態をいっそう面倒にしていた。

現時点でアメリカは、欧州での〝世界大戦〟、中国大陸での〝事変〟双方に関して、いずれも中立の立場を表明している。

対ドイツ戦に苦しむイギリスにとっては、アメリカの世論を動かし、欧州の世界大戦に参戦させることが唯一の突破口であった。

一方、日本もまた、泥沼の状況を呈している中国大陸の事変の行方は、アメリカの出方一つにかかっているといっても過言ではない。

イギリス・日本双方にとって、対アメリカ外交は非常にデリケートな問題だった。そんな中、中立海域でアメリカ市民が謎の死を遂げたのだ。アメリカの意向を確認することが最優先されたのは当然といえよう。

だが、これには一つ問題があった。

アメリカ時間でちょうど日曜。

領事館担当者と連絡が付くまでに、かなりの時間を要することが予想された。

険悪な雰囲気の中、双方の反目と意思疎通が不完全な状況を利用して何食わぬ顔で捜査に紛れ込んだ内海は、それとなく亡くなったモーガン氏の船室を検《あらた》めることを提案した。

「私を含め、ここにいる誰一人、モーガン氏が本当はどんな人物だったのか知りません。彼は、もしかすると犯罪者だったのかもしれない。部屋を調べれば、彼が死んだ理由も自《おの》ずとはっきりするのではないでしょうか？」

この提案に、日英双方が飛びついた。

自殺が最も受け入れやすい結果だ。

亡くなったモーガン氏は実は凶悪な犯罪者であった。本国に連れ戻されると、厳しい処罰が待っていた。だから彼はイギリス軍艦の突然の臨検に震え上がり、パニックになって自ら服毒自殺を遂げた。

言外にその可能性を仄《ほの》めかすことで、内海は捜査方針をコントロールしたのである。

だが――。

自殺ではない。

内海にはその事実は明らかだった。

事件直前、内海はアメリカ人貿易商モーガン氏の正体がイギリス人スパイ、ルイス・マクラウドであることを暴き、彼をハワイで下船させる手筈を整えた。ところが、イギリス軍艦が姿を見せたことで立場は一転。モーガン＝マクラウドは、勝ち誇った顔でグラスを掲げ、

「ウツミ、サヨナラだ。カンパイ！」

そう言ってグラスの中身を飲み干したのだ。

あのグラスに毒が入っていたのは間違いない。

状況から考えて、マクラウドが自殺したとは思えなかった。そのくらいならむしろ、彼は混乱に紛れて内海を殺そうと企てて、失敗した——密かに毒を混入した内海のグラスを間違えて自分で手にとってしまった、という可能性の方がまだ考えられるくらいだ。

尤も、内海がグラスを取り間違えるなどということはありえなかった。飲みかけの自分のグラスの特徴を記憶することは、スパイにとっては初歩の初歩だ。テーブルに置いたグラスの向きや内容量が少しでも変化していれば、そのグラスに再び口をつけることは死を意味している。無論、簡単なトリックを使って相手に別のグラスを取らせることは可能だが、内海はあの時、どんなトリックも弄《ろう》してはいない。

イギリス軍艦の出現は予定外だ。が、それでもまだマクラウドをコントロールする手だてはいくらでも残っていた。再逆転は可能だった、マクラウドに死なれさえしなければ——。

モーガン＝マクラウドのグラスに毒を入れた人物がいる。

彼は何者かに殺されたのだ。しかも、犯人は朱鷺丸の乗員乗客の中にいることは間違いない。

マクラウドが謎の死を遂げた今、彼の船室を調べることは内海にとっても必要な手続きだった。

朱鷺丸の事務長がマスターキーを使って船室のドアを開ける。

死んだ男の部屋は、一見して恐ろしくきれいに整頓《せいとん》されていた。

衣類はすべてきちんと畳んで戸棚にしまわれ、あるいはハンガーに吊《つ》るしてクローゼットに収められている。部屋の床には食べ残しのパンくずはおろか、ゴミ一つ落ちていない。

サンフランシスコ出航以来、ほとんど船室で過ごしていたとは思えないほどの生活感のなさだ。部屋での食べ残しやその他のゴミ、洗濯物は、専用袋に入れてドアの前に掛けておけば係が回収してくれるとはいえ、男性客の部屋にしてはこの几帳面《きちようめん》ぶりはちょっと異様だろう。

書き物机の上にはクロスワードパズルの本が一冊。全頁、ほぼ解き終えてあった。ベッドの脇にもう数冊の本が見える。クロスワード用の辞書が二冊。『白鯨』『デイヴィッド・コパフィールド』『E・A・ポー詩集』……。

手掛かりになりそうな日記やノート、手紙の類《たぐ》いは、残念ながら、部屋のどこにも見当たらなかった。

「……妙だな」

内海の隣で船室を調べていた原一等航海士が、首を傾げるようにして呟いた。調査のために引っ張り出した品々を見回し、眉をひそめている。

「衣類も鞄《かばん》も、細々した品も、全部新品ばかりだ……。まだ値札が付いたままのものもある。モーガン氏はまるで、船に乗る時に身の回りの物をすべて買い直したみたいだ。……何だって、こんな無駄なことをしたのだろう？」

困惑した表情を浮かべて呟く原一等航海士を横目で見て、内海は内心舌打ちをした。

――素人に疑われてどうする。

所詮《しょせん》は二流のスパイ。

だからこそマクラウドは、英国秘密諜報機関から厄介払いされたのだ。

10

ルイス・マクラウドは先の世界大戦の際、英国秘密諜報機関に雇われ、暗号の解読に活躍した。――それは事実だ。

中世以来、欧州では、暗号解読に主として言語学及び統計学が用いられてきた。暗号名〝教授《ザ・プロフ》〟。マクラウドの専門は言語学であった。実際、彼の言語学の知識と経験は幾多の難解なドイツ軍の暗号文を解読し、長年英国に少なからぬ戦果をもたらしてきた。

　だが、エニグマ暗号の登場がマクラウドの立場を一変させた。

　ドイツの新暗号〝エニグマ〟に対して、彼が長年研究し、築き上げてきた暗号解読の手法はまるで役に立たなかったのである。調査の結果、エニグマに立ち向かうためには、言語学よりはむしろ純粋数学や、さらには機械工学の専門知識と技術こそが必要とされることが明らかになった。

〝教授〟と呼ばれ、尊敬を集めてきたマクラウドの存在意義は一気に消し飛んだ。

　彼は「古いタイプの暗号専門家」と見做され、暗号解読班の指導的立場から外された。

　暗号解読は彼の手の届かないところにおかれたのだ。マクラウドは焦り、巻き返しを図るべく、強引な手法に打って出た。

　例えば、デ、イ、リ、ー・テ、レ、グ、ラ、フ、紙に掲載されたク、ロ、ス、ワ、ー、ド、パ、ズ、ル、。

　結城中佐は一目で英国秘密諜報機関の関与を見抜いた。

　内海を呼んだのは何も、時間内にクロスワードパズルを解いて、英国の暗号解読グループに採用される者たちを監視させるためではない。

　エニグマ暗号がドイツの切り札である以上、英国が暗号解読に挑むのは論理的必然。

そう考える各国のスパイ・マスターたちは、当然、英国の動向に目を光らせている。そんな中、新聞に掲載したクロスワードパズルで人員を募集するなど愚の骨頂。世界中のスパイ機関に手の内を明かすようなものだ。

慎重を旨とする英国秘密諜報機関の判断とは思えない。

監視していたところ、元暗号班指導者ルイス・マクラウドが突然英国から姿を消した。

推測されるのは、デイリー・テレグラフ紙での人員募集、その他最近の英国秘密諜報機関らしからぬいくつかの強引な手法はマクラウドの独断だった、英国秘密諜報機関はマクラウドを持て余し、厄介払いした、ということだ。

英国から姿を消したマクラウドは、どうやら日本に入国するつもりらしい。

日本陸軍内には依然として日本語特殊信仰が根強く存在する。根拠など何もない、ただ日本語が縦書きであるという、それだけの理由でだ。単なる盲信。だが、その分、暗号機密に対して脇が甘い。日本軍は、かつてヒトラーから贈られたエニグマ暗号機を改良し、日本式エニグマともいうべき紫暗号を使用している。英国秘密諜報機関はマクラウドを厄介払いするに当たって、建前上、日本式エニグマの解読任務を与えたに違いない……。

無論、英国秘密諜報機関をお払い箱になったマクラウドなど恐れるに足りない。

結城中佐はこの機会を逆利用すべく、内海にマクラウドへの接触を命じた。「横浜で憲兵隊が待ち受けている」。耳元でそう囁《ささや》かれれば、組織で冷遇されているマクラウドの心中には必ずや英国秘密諜報機関への疑念が浮かぶ。後は彼をハワイで下船させ、逆スパイとして利用すれば良いだけだ。

だが、マクラウドの死によって計画は変更せざるを得なくなった。

何者かが結城中佐の思惑を挫折《ざせつ》させたのだ。

それがいったいどんな不確定要因だったのか？

魔王のごとき結城中佐を欺いた謎。

内海は、任務の枠を超えて、何としてもその謎を解き明かすつもりだった。そのために、たとえどんな犠牲を払うことになったとしても。

マクラウドの船室からは、手掛かりとなるようなものは何も見つからなかった。

否、見つからなかったのはそれだけではない。

内海はイギリス人指揮官を誘導し、マクラウドが飲んだグラスを回収させて、指紋を調べさせた（「船医室に置いてあったあの薬品、たしか指紋の検出に使えるのですよね？」）。

マクラウドが飲んでいたのは、口の狭い背高のグラスだ。

足もと定かならぬ船の上、しかも酷い嵐のために平衡感覚を司《つかさど》る三半規管を長く揺すぶられてきた直後だ。内海とマクラウドが席を離れていた時間はわずかだった。何者かが急いでグラスに毒を混入させたとしたら、その際、グラスに触れた可能性は少なくない。

だが、グラスから検出されたのは、亡くなったマクラウド、グラスを運んできたパーサー、飲み物を作ったバーテンダー、この三名の指紋だけだったという。

「グラスの縁《ふち》に触れた指の痕《あと》がもう一つ、あるにはあるのですが、その痕跡《こんせき》からは指紋は検出されませんでした」

いったん談話室に戻って行われた調査結果報告に、内海は密かに眉を寄せた。

指紋のない指痕？　犯人は手袋をしていたということか？　しかし——。

周囲を見回し、目を細めた。

窓の外は、見はるかす青い海と青い空だ。水平線には見事なまでの入道雲が浮かんでいる。

常夏の島ハワイ入港まであと数時間。

この状況で手袋をしていて笑われない人物といえば、湯浅船長くらいなものだろう。

内海は、厳しい顔で報告を聞く湯浅船長を窺《うかが》い見て、しかし、すぐに首を振った。

違う。彼ではない。

湯浅船長にはアリバイがある。イギリスの軍艦が洋上に姿を見せて以来、湯浅船長は船橋《ブリッジ》に詰めきりになっていた。一等甲板に置かれたマクラウドの飲みかけのグラスに毒を入れる機会はなかった。

アリバイか……。

そう考えて、内海は顔をしかめた。

あの時一等甲板に出入り可能だったのは、朱鷺丸の乗員と内海を含む一等船客五十二名。その全員にアリバイがない。

「やむを得ません。こうなったら、この船の乗員と一等船客全員の持ち物検査を行うしかないですね」

案の定、イギリス人指揮官がそう切り出した。彼は湯浅船長を振り返り、慇懃に言った。

「キャプテン・ユアサ、この船の責任者はあなただ。船客の皆さんに一等甲板に集まるよう指示をお願いします」

一等甲板は不安げな表情をした人々であふれた。

年齢も性別も様々だが、共通点は身なりが良いこと。中には、子供連れの若い母親や、胸に犬を抱いたご婦人方の姿も見える……。

甲板に集った一等船客全員に、服のポケット及び手提げ鞄の中身を提示するよう、指示が伝えられた。

「失礼のないよう、くれぐれも気をつけて」

乗員に改めて命じる湯浅船長に、イギリス人士官の一人が隣で苦笑する気配が伝わってきた。

乗員乗客全員の身体検査と全室への入室検査を要請するイギリス側に対し、湯浅船長は断固として首を縦に振ろうとしなかった。

「お客様の中にはご婦人や幼いお子さんもいらっしゃる。強制的な入室検査は不可。持ち物検査は、お客様の自発的な協力を得る形でのみ。それ以外では許可できない」

相手が武装していることなどまるで意に介さない毅然《きぜん》とした態度に、最後はイギリス側が折れた。

結局、朱鷺丸乗員とイギリス人水兵がペアとなり、甲板に集まった一等船客一人一人に〝お願いして回る〟形での持ち物検査となった。その結果は――。

毒薬はおろか、疑わしい品は何一つ発見されなかった。

最初からわかっていたことだ。

仮に何者かが毒薬その他証拠品を所持していたとしても、とっくに処分しているはずだ。騒ぎの間に甲板に出て、後ろ手に海に捨ててしまえば誰にも気づかれない。身体検査や入室検査など行うだけ無駄なのだ。

イギリス側にもその程度のことはわかっている。わかった上で強引な検査を主張し、そして湯浅船長の主張に対して自分たちから折れた。

乗員乗客全員の身体検査と全室の入室検査の要請は、真相が明らかにならなかった場合の口実だ。「我々はやるべきことはすべてやった。非は朱鷺丸側にある」。姑息な方便だが、逆に言えばいかにも軍人らしい。

甲板に集められた一等船客たちを見渡しながら、内海はさっきからある疑問が頭を離れないでいた。

なぜだ？　なぜ彼は殺されなければならなかった？

内海にとっては、殺されたのは英国秘密諜報機関の暗号専門家ルイス・マクラウドだ。スパイという職業柄、マクラウドはいつ何時《なんどき》、誰に殺されても不思議ではない。

だが、内海以外の者たちにとっては、殺されたのはあくまでアメリカ人貿易商、ジェフリー・モーガンのはずだ。部屋を調べた際、原一等航海士が気づいたように、モーガン氏の持ち物は新しいものばかりだった。つまり、ジェフリー・モーガンは急ごしらえの人物ということだ。架空の人格に、架空の経歴。誰かに恨みを買うはずもない。

それなら彼は誰かと間違えて殺されたのか？

だが、それも考え辛かった。朱鷺丸乗船以来、モーガン＝マクラウドは船室からほとんど一歩も出ていない。別の誰かと間違われるほど顔をさらしてはいないのだ。残る可能性は——。

内海の他に、アメリカ人貿易商ジェフリー・モーガンの正体が英国秘密諜報機関のスパイ、ルイス・マクラウドだと見抜いた者がいる？

内海は首を振った。

古い友人や家族でさえ見分けがつかない。

本人が言ったとおり、マクラウドの変装は完璧《かんぺき》だった。

髪の色や髪形、口ひげくらいならともかく、目や鼻、唇の形まで変えていたのだ。さらには、茶色のレンズで目の色を変え、わざわざ顎の骨までいじっていた。

D機関で訓練を受けた内海の目をもってして、はじめて見抜くことができた変装だ。同じことが他の誰かに可能だったはずはない——。

そう考えて、内海はハッとなった。

逆なのか？

そもそもマクラウドは、なぜあれほどまでの変装をしなければならなかったのか？

それに、朱鷺丸乗船後の彼の不可解な行動——何人といえども決して船室に入れようとせず、必要な品はドアの前に置かせて、覗き穴から人気がないことを確かめてから素早く部屋の中に引き入れていた。船酔いのせいかとも思ったが、異様に整頓されたあの部屋の様子から考えて、彼が船酔いに苦しんでいたとは思えない……。

内海は今一度、頭の中に解きかけのクロスワードパズルを再現して、首を傾げた。マクラウドをおびき寄せるために内海が仕掛けた罠。死ぬ直前、マクラウドはパズルをほぼ完成させていた。残された問題。最後まで埋められなかったマス目。パズルの空いたスペース。


冥府《めいふ》の番犬。八文字で、最初の文字はK……。

さして難易度の高い問題ではない。交叉《こうさ》する文字がすでに出ていた。答えがわからなかったはずはない。にもかかわらず、彼はあえて空いたマス目に文字を書き入れなかった。

KERBEROS
その単語を、彼は最後までパズルの中に作ろうとしなかった。否、書くことをあえて拒んだように見えた。

「貴様……やはり……ケルベ……」

最後まで聞き取れなかったマクラウドの末期の言葉は〝ケルベロス〟。そう考えるのが自然だろう。

〝三つの頭を持つ恐ろしい怪物。冥府の門につながれ、生者は中に入れず、死者が外に出ることを許さない〟

マクラウドは冥府の番犬ケルベロスを暗号名に持つ何者かに命を狙われていた。だからこそ、彼は顔を変え、船に乗った後も何人《なんぴと》といえども身辺に近づけようとしなかったのだ。

だが、酷い嵐が収まり、ハワイ入港が数時間後に迫ったことでマクラウドは油断した。南洋のまぶしい陽光が警戒の目を眩《くら》ませたのかもしれない。その結果、変装を見抜いた何者かによって、彼は殺された――。

内海は、頭の中に収めた乗客乗員名簿と甲板に集う船客たちの姿を照らし合わせて、唇を噛んだ。

〝ケルベロス〟はこの中の誰でもあり得る。

それを見抜くための手掛かりは、しかし内海には何一つ与えられていないのだ……。

ふと、原一等航海士が誰かに話しかける声が聞こえた。それに答える女の声。

内海はゆっくりと顔を上げた。人込みの中、そこだけ光が当たったように一つの顔が浮かび上がる。

幾つかの無関係に思えたバラバラな断片が渦を巻き、やがてある仮説に収斂《しゅうれん》されていった。

内海はもう一度頭の中の乗員名簿を点検し、その奇妙な符合に気づいて、確信した。

ひとつ大きく息を吸い、唇を丸めて、高く口笛を吹いた。

「きみ、いったい何を……」

隣に立っていたイギリス人士官が驚いたように振り返った。内海はかまわず声を上げた。

「カモン、フラテ！　カムヒヤ！」

次の瞬間、物陰から真っ黒な影が現れ、内海に向かってまっすぐに飛びかかってきた。

11

「あなたの犬ですよね？」

談話室の隅に腰を下ろした内海は、膝《ひざ》の上に黒い塊を抱え上げて尋ねた。

質問の相手は、斜向《はす》かいの席に座った金髪の小柄な若い女性だ。色白の肌に、北国の空を思わせる印象的な薄いブルーの瞳。幼い子供を腕に抱いている。

船客名簿によれば、彼女の名はシンシア・グレーン。腕に抱いているのは、二歳の娘エマ。

内海が頭の中に収めた朱鷺丸の船客名簿の備考欄には、もう一つ情報が記されていた。

膝の上の黒い塊が伸び上がり、内海の顔に生温かいものが押しつけられた。

「だめだ、フラテ。ステイ！」

鼻先に指を立てて指示すると、全身黒毛のテリアはたちまち床に飛び降り、身を低くして、足下でぴたりと動きを止めた。

〝フラテ（テリア犬、黒）〟

船客が船に持ち込む愛玩《あいがん》動物はすべて登録制だ。体高十インチ、体重は十七ポンドほどの小型犬。イタリア語で〝修道士〟を意味する変わった名前は、全身の黒毛を修道士のマントに見立てた命名だろう。

内海はポケットから取り出したハンカチで顔を拭い、改めてシンシアに向き直った。

「これについて、説明してもらえないでしょうか？」

内海が差し出したものを見て、シンシアは大きく目を見開いた。ハンカチの陰から手品のように現れたのは一枚の写真だった。フラテを抱き上げ、顔をなめさせている間に、内海は犬の首輪から半折りにされた写真を抜き取っていたのだ。

写真には、二人の男が仲良く並んで写っている。

白い船員服が似合う、背の高いハンサムな若い男の方には見覚えがなかった。が、彼と並んで笑顔を見せて写っている五十代の男は――。

ルイス・マクラウド。

この船で毒殺された英国秘密諜報機関のスパイだ。

整形して顔を変える前に撮られた写真だが、耳の形がはっきりと写っている。同定するのはさほど困難な作業ではない。

「手を見せていただけますか？」

内海の依頼にシンシアは一瞬ためらう様子だった。結局諦めたように首を振り、騎士に接吻《せっぷん》を許す貴婦人のような仕草で内海に左手を差し出した。

「失礼します」

内海はシンシアの手に触れ、手のひらを返した。

指先を確認する。

シンシアの細い五本の指先に透明のマニキュアらしきものが塗られていた。これではグラスに触れても、触れた痕跡が残るだけで指紋はつかない。だが――。

皮肉なことに、指紋を残さないよう工夫されたこの五本の指こそが、彼女が犯人であることを間接的に証明する証拠だった。あの時一等甲板にいた人物の中で、グラスに触れて指紋を残さないでいられたのは、指紋をマニキュアで塗りつぶした彼女以外にあり得ない。

――思った通り、か……。

内海は自分の推測が正しかったことに、なぜか落胆を覚えた。

疑念が浮かんだのは、甲板で彼女の声を耳にした瞬間だった。

イギリス側の要請で一等船客全員が甲板に集められた。自発的な持ち物検査が行われる中、原一等航海士が誰かに話しかける声が聞こえた。続いて、それに答える女の声が。

その声に、内海は聞き覚えがあった。

ドイツのUボート――実際にはマッコウクジラだったわけだが、黒い影が海面に現れたあの時、内海を含めたほぼ全ての一等船客が全員甲板に集まり、朱鷺丸に向かってまっすぐに進み始めた黒い影を息を呑《の》んで見つめていた。サンフランシスコ出航直後から朱鷺丸は酷い嵐に見舞われ、船客たちの多くは船室に籠《こ》もりがちだった。一等船客全員の顔が揃ったのはおそらくあの時が最初だろう。

「だめ《ノー》！　止まって《ストップ》……来ちゃだめ《ステイ》！」

ひときわ高く、甲板にこだました女性の声。

内海が駆けつけるきっかけとなったあの悲鳴の主が、シンシア・グレーンだった。

誰もが海面を進んでくるUボートの影に向かって発せられた悲鳴だと思った。だが、もし彼女の言葉が別の対象に向けて発せられたものだとしたら……。

内海は、足下にうずくまるフラテに目を向けた。

小さくしっぽを振り、黒いつぶらな瞳で見上げている。

「だめ《ノー》！　止まって《ストップ》……来ちゃだめ《ステイ》！」

あれは、物陰から飛び出してこようとするフラテに向けて発せられた指示だったのだ。

騒ぎの後、シンシアは、まるで白昼、幽霊に出くわしたような真っ青な顔で、今にも気を失いそうに見えた。原一等航海士が声をかけ、幼いエマを預かった上で、彼女の肩を抱えるようにして船室へ連れていった。

Uボートの襲撃を経験した者のフラッシュバック。

あの時は内海もそう思った。だが、マクラウドが毒殺されたことで別の可能性が生まれた。

彼女は朱鷺丸の甲板上で自分が殺そうとしている相手、マクラウドに気づいた。だから、あれほど興奮していたのではないか、という可能性だ。

船客名簿に記された奇妙な符合に気づいた瞬間、内海は確信した。

《三つの頭》と《黒毛の犬》。

シンシアこそが、マクラウドが恐れていた殺し屋〝ケルベロス〟だった。彼女がマクラウドの完璧な変装を見抜き、彼を殺害したのだ。しかし——。

内海は眉を寄せた。

理解できなかった。

目の前に座る若い女性は、どう見てもプロのスパイとは思えない。彼女が、いったいなぜ英国秘密諜報機関の暗号専門家であるマクラウドを付け狙い、命を奪わなければならなかったのか……？


口笛を吹いてフラテを呼び寄せたとき、原航海士と話していたシンシアは一瞬真っ青な顔になった。が、すぐに観念した様子で、人込みをかき分けるようにして内海に近づいてきた。

「わたしがグラスに毒を入れました。マクラウドを殺したのはわたしです」

幼い子供を腕に抱いた若い女性が突然自首して出てきたことに、隣にいたイギリス人士官はじめ周囲の者たちは呆気にとられた様子であった。第一——。

マクラウド？　毒殺されたのはジェフリー・モーガンではないのか？

周囲の困惑をよそに、内海は何でもないようにシンシアをエスコートして、一等談話室に案内した。飛び出してきたフラテは内海が胸に抱いたままだ。

隅の席に腰を下ろしたシンシアは、「この方としばらく二人きりで話をしたい」と湯浅船長、及びイギリス人指揮官に向かって頼んだ。若い女性の真剣な面持ちに二隻の船の責任者は顔を見合わせ、結局、肩をすくめて同意した。

彼らは今、談話室の反対側に固まって、こちらの様子を窺っている。

「なぜ彼だとわかったのです？」

内海はシンシアに顔を寄せ、他の者には聞こえないよう小声で尋ねた。

「マクラウドは顔を変えていました。よく彼だとわかりましたね。人違いの可能性は考えなかったのですか？」

「一目でわかりましたわ」

シンシアは青い顔のまま、きっぱりと言った。

「わたしは毎日穴があくほどあの写真を見ていたのです。マクラウドが顔を変えていることは聞いていました。顔は変わっても耳の形は変わらないので、注意して見るように、とも」

マクラウドの変装を一目で見抜いたのは、やはり内海一人ではなかったということだ。

「なぜ写真を捨てなかったのです？」

そう尋ねたのは、純然たる好奇心からだった。

「あなたはすでに目的を達した。標的《ターゲット》が写っているこの写真を海に捨ててしまえば、物的証拠は何もなかった。機会はいくらでもあったはずです」

シンシアは質問にすぐには答えず、内海を正面からじっと見つめた。

「あなた、お名前は？」

「内海。オサム、ウツミです」

「日本の方？」

「そう、日本人です。一応は」

内海は覚えず苦笑して答えた。

「この写真は……捨てられませんわ」

シンシアは微《かす》かに首を振り、口元に笑みを浮かべて言った。

「これはレイモンドが一番ハンサムに写っている写真なのです。いくら憎い仇《かたき》と一緒に写っているからといって、この写真は捨てられません」

シンシアはそう言って、写真に写る背の高い船員服の似合う若者を指さした。

「彼は、わたしの夫で、この子の父親。……あなたに、少し似ている」

「私に？」

内海は不意をつかれ、目を瞬いた。シンシアは軽く頷き、再び写真に目を落とした。

この男は、と並んで写っているマクラウドの顔に爪先を立てた。

「この男は英国秘密諜報機関のスパイでした。彼が愛しいレイモンドを殺した。この男が、わたしの夫と、この子の父親を奪ったのです。彼を殺すことで、わたしは夫の仇をうった。後悔はしていません」

きっぱりとそう言い切るシンシアの様子に、内海は首を傾げた。

マクラウドは、ナイフの使い方一つとっても素人同然だった。英国秘密諜報機関のスパイとはいえ、所詮は暗号の専門家だ。彼がシンシアの夫であるレイモンド・グレーンを殺した？

二つの事実が頭の中でうまくつながらなかった。

いや、そもそもシンシアはなぜ、マクラウドが英国秘密諜報機関のスパイだったと知ったのか……？

内海は首を振り、ため息をついた。

仕方ない。どんな犠牲を払ってでも謎を解くと決意したのだ。

観念して顔を上げ、シンシアの目をまっすぐに見つめて尋ねた。

「あなたのご主人の身に何が起きたのか、そしてその事実をなぜあなたが知り得たのか、私に話してくれませんか？」

シンシアは先ほどと同じように内海を正面からじっと見つめ、不意に何ごとか理解したように、にこりと笑った。

12

わたしの夫レイモンド・グレーンは英国の貨物船ダルモア号の一等航海士でした。夫がルイス・マクラウドなる人物といつから知り合いだったのかはわかりません。マクラウドは夫に近づき、友人としての信頼を得た。その上で彼は、レイモンドの信頼を裏切り、夫を作戦のための犠牲にしたのです。

夫が乗った貨物船ダルモア号が大西洋上でドイツの仮装巡洋艦の攻撃を受け、沈没したという知らせが届いたのは、今から半年ほど前のことでした。

ドイツの仮装巡洋艦から至近距離で砲撃を受けた船は大破。爆発炎上して、乗員は全員死亡した。そう聞かされました。

知らせを聞いて、わたしは泣きました。けれど、祖国が戦争をしているのです。夫は英国の船乗りとして立派に役目を果たし、そして不運にも敵船と遭遇して死んだのだ。自分にそう言い聞かせることで、なんとか自分を支えていたのです。

それが嘘だったと知ったのは、ダルモア号の合同葬儀の場でした。

慌ただしい葬儀の場で、一瞬目を離したすきにエマの姿が見えなくなっていました。

わたしは会場中を捜し回り、ある小部屋のテーブルにかかったクロスの下を覗いて、そこにフラテと一緒にすやすやと寝息を立てて眠っているエマを見つけたのです。わたしは安心し、エマをそっと抱き上げようと自分もテーブルの下に潜り込みました。

その時です。小部屋に人が入ってくる気配がして、わたしはとっさにエマとフラテを抱いたまま、息を潜めました。

部屋に入ってきたのは、英国海軍の制服を着た若者が一人と、もう一人は夫の友人として葬儀に参加していたマクラウドでした。

海軍の制服を着た若者はひどく憤慨している様子でした。

「いくらなんでもこんな作戦は許せない。民間人を囮《おとり》につかうなんて……あなたたち秘密諜報機関の人間には良心というものはないのか……暗号解読のためにこんな犠牲を出して、いったいどうするつもりだ……」

若者は早口に詰問し、一方マクラウドはのらりくらりと言い逃れをしている様子です。専門的な、あるいは詳しい話は、わたしにはわかりません。ですが、机の下に隠れて途切れ途切れに聞こえてくる言葉を聞くうちに、わたしは恐ろしい事実を知ることになりました。

英国の貨物船ダルモア号は、ドイツの仮装巡洋艦に偶然遭遇したわけではなかった。ダルモア号の航路は、予《あらかじ》めドイツに知らされていた。二重スパイを使って、わざと情報がドイツに流されていたというのです。

わたしには何がなんだかわけがわかりませんでした。なぜ英国秘密諜報機関がドイツに情報を渡して、ダルモア号を攻撃するよう仕向けなければならなかったというのでしょうか？

すっかり混乱し、パニックになりかけていたわたしの耳に、マクラウドの自信に満ちあふれた声が聞こえてきました。

「これはエニグマ暗号を解読するために必要な作戦なのだ」

その瞬間、わたしは頭を殴られたような気がしました。この男がレイモンドに友人面《づら》で近づいたのは、この作戦とやらのためだったのだ。わたしの愛しい夫は……いえ、夫だけではありません。ダルモア号と共に沈んだ乗員二十名は、マクラウドが企てた作戦とやらのために殺されたのだ、と。

わたしはなんとか悲鳴をあげないよう必死で自分の口を押さえているしかありませんでした。

気がつくと、いつの間にか二人の男は部屋からいなくなっていました。わたしは両腕にエマとフラテを抱えて机の下から這《は》い出しました。わたしはエマを知り合いの女性に預けると、その足で街に出て、戦争が始まるまでドイツの大使館があった場所に向かいました。どのくらいその建物の前に立っていたのでしょう。気がつくと、見知らぬ人物がわたしに話しかけていました。わたしはその人に、すべてを打ち明けました。そして、マクラウドを許せない、あの男をこの手で殺すことができるなら何でもする、と言いました。相手は驚いたようでしたが、わたしの目を見て本気だということに気づき、ある人物に引き合わせてくれました。

こうしてわたしはドイツのスパイになりました。わたしはドイツのスパイとして、マクラウドを観察し、彼を殺す機会を窺いました。毒薬の扱い方や、指紋を消す方法は彼らに教わったものです。マクラウドが突然英国から姿を消した時は慌てました。ですが、ドイツの諜報機関がすぐに、マクラウドが顔を変えて日本に向かうつもりらしい、と教えてくれました。

逃すわけにはいきません。いくら顔を変えようとも、わたしにはきっとわかるという自信がありました。わたしは船に乗り、変装したマクラウドを見つけました。天はわたしに味方しました。マクラウドが飲みかけのままグラスを残して席を立ったのです。わたしは教わったとおり指紋をマニキュアで消して、毒薬をグラスに注ぎ込みました。

マクラウドが死ぬところは見ていません。できることなら、うんと苦しんで死んでほしかったと思います……。

＊

——馬鹿な奴だ……。

話を聞いて、内海は顔をしかめた。

シンシアのことではない。マクラウドの方だ。

そう言えば、マクラウドはクロスワードパズルを解きながらこんなことを言っていた。

「もし仮に、仮にですよ、予め内容が判明している文章があるとしましょう。その文章と同じ内容のエニグマ暗号文が手に入れば、二つを突き合わせることで解読の手掛かりが得られます」

予め内容が判明している文章。

例えば、英国海軍の極秘の作戦指示書だ。

長年培ってきた暗号解読手法は、エニグマの登場によって無に帰した。そのことを知ったマクラウドは、焦り、様々な強引な手法に打って出た……。

結城中佐に呼ばれ、任務を引き受けたその足で、内海はマクラウドの独断と思しき作戦の洗い出しを行った。

デイリー・テレグラフ紙にクロスワードパズルを掲載したことなど、ほんの子供だましのようなものだ。

マクラウドが行った最大にして最も無謀な企ては〝庭仕事《ガーデニング》〟という一見長閑《のどか》な暗号名で呼ばれる作戦だった。

彼は英国海軍の極秘作戦指示書を含む機密書類入り鞄を民間の貨物船で運ばせる一方、この情報を逆スパイを使って密かにドイツに流した。海上の完全制圧をもくろむドイツにとっては、喉《のど》から手が出るほど欲しい情報だ。案の定、ドイツ海軍は密かに仮装巡洋艦を貨物船の航路に派遣。非武装の民間の貨物船を攻撃して機密書類入り鞄を強奪するとともに、証拠隠滅のために貨物船を爆破沈没させた。作戦指示書が奪われた事実が知られたのでは、英国海軍が作戦を変更する恐れがある。作戦指示書は奪われたのではなく失われたと思わせるよう、船もろとも全ての船員を海に沈めたのだ。

その後ドイツ軍は、強奪した英国海軍作戦指示書の内容をエニグマ暗号を使って友軍に打電。英国はこれを傍受し、そこに記された作戦内容と、エニグマ暗号文をつきあわせることで解読の手掛かりとした——。

自ら種を蒔《ま》き、自ら刈り取る。

マクラウドはこの作戦を〝庭仕事《ガーデニング》〟と名付けた。

作戦概要を洗い出した内海は、呆れて首を振った。

まるで狐と狸の化かし合いだ。

だが、そのために何も知らされない貨物船の乗員が犠牲になったのも事実であった。

一息に語り終えたシンシアは、長い間肩に乗っていた重い荷物を降ろしたように、ほっとした顔になった。

ドイツのスパイとして祖国を裏切り続ける行為が、彼女にとって容易であったはずはない。

だが、彼女が葬儀の場で盗み聞いた情報など、公にしても握り潰されるのが落ちだ。葬儀の場で義憤にかられてマクラウドを問い詰めた若い英国海軍兵にしても、機密漏洩の罪に問われることを恐れて、公の場では決して認めようとはしないだろう。

だからこそ、シンシアは心を鬼にして祖国を敵に回した。ドイツの秘密諜報機関に入り、スパイとしての訓練を受けた。だが——。

所詮は素人の付け焼き刃だ。とっさの場合、状況に応じて柔軟にやり方を変えることまでは、シンシアには不可能だった。

——教わったとおり指紋をマニキュアで消して、毒薬をグラスに注ぎ込みました。

皮肉なことに、犯罪行為を隠蔽《いんぺい》するマニュアルどおりのその方法こそが、彼女が犯人であることを証明してしまったのだ。

それだけではない。

——だめ《ノー》！　止まって《ストップ》……来ちゃだめ《スティ》！

内海の疑惑を招くことになったあの指示。

おそらくドイツの秘密諜報機関はシンシアに二つのことを指示していた。

一つは、標的《マクラウド》の写真を毎日確認すること（「顔は変わっても耳の形は変わらないので注意して見るように」）。

もう一つは、標的に悟られないよう写真を誰にも見つからない場所に隠し持つことだ。

矛盾しかねない二つの指示に、しかしシンシアは忠実に従った。フラテの首輪に写真を隠すことによってだ。

シンシアは朱鷺丸の甲板で、憎き仇マクラウドの姿を見つけた。同時に物陰から飛び出して来ようとするフラテに気づいて、思わず大声で指示を出した。来ちゃだめ《スティ》と。

冷静に考えれば、フラテの首輪に隠された写真にマクラウドが気づくはずはなかった。だが、毎日写真を確認しているシンシアの目には、彼女にだけは、写真がはっきりと見えた。シンシアは、標的に写真の存在を気づかれるのではないかと怯《おび》えた。だからこそ、思わずフラテに向かって大声を上げてしまったのだ……。

内海は首を振った。

自分なら、あるいはD機関の者たちなら、一目見た後は写真は必要なかった。標的の目に世界がどう見えているのか、常に意識するのは当然。見えないはずのものを見えていると誤解することなど、そもそもあり得ない。

無理なのだ。素人にスパイは。

夫を裏切って殺した英国秘密諜報機関に対する復讐《ふくしゅう》。

その思いだけがシンシアを駆り立ててきた。張本人であるマクラウドを殺した今、彼女を支えるものは、おそらく――。

「エマを、娘をどうかお願いします」

シンシアが、腕に抱いた子供に頬を寄せて言った。

――責任を持って。

声に出さず、唇の形だけで答えた。

「それから、この子も」

シンシアがそう言って足下のフラテに目を向けた。

内海は微かに笑って頷き、エマに顔を振り向けた。

「おいで。おじさんと向こうで遊んでいよう」

腕を差し出すと、母親《シンシア》にしっかりと抱きつき、怯えた様子で周囲の様子を窺っていたエマが、はじめてにこりと笑った。

内海はシンシアの手からエマを受け取り、もう一度無言で頷いてみせた。立ち上がり、合図すると、フラテがしっぽを振ってついてきた。内海と入れ替わるように、イギリス人指揮官が数人の部下とともにシンシアを取り囲んだ。

ある程度の会話は聞こえていたのだろう。全員、厳しい顔をしている。紳士の国を自称する英国も、自国のスパイを殺した者に対してだけは紳士的な態度ではありえない。

シンシアに対するこの後の取り調べは苛烈《かれつ》を極めることになる。

——いや、そうはなるまい。

内海はエマを抱いたまま談話室の扉を開け、甲板に出た。

背後で起きた騒ぎの気配を無視して、内海は甲板を横切って海に向かった。

さっきシンシアは内海を正面からじっと見つめ、不意ににこりと笑った。まるで長く垂れ込めた厚い雲の間から、久しぶりに薄日が差したように。

あの瞬間、シンシアは理解したのだ。

内海が解いた謎に対して責任を取るつもりであることを。

死んだマクラウドにとって、謎を解くことは単なる知的遊戯に過ぎなかった。彼にとっては、新聞の片隅に掲載されたクロスワードパズルも、ドイツ軍の新暗号エニグマも、いずれも等しく自分とは何ら関わりのないものであった。だからこそ彼は、エニグマ暗号の謎を解くために〝庭仕事《ガーデニング》〟などという無謀な作戦を立て、実行できた。謎を解くために、貨物船とその乗員全員を犠牲にすることを少しも躊躇《ためら》わなかったのだ。

　だが、スフィンクスの謎を解いたオイディプスの運命を挙げるまでもなく、謎を解くことは本来それだけで完結するものではない。解かれた謎は、謎を解いた者に責任を突き付ける。

　謎は解かれた。さあ、お前はどうする？

　それが謎に立ち向かう者に与えられる祝福であり、課せられた呪いなのだ。内海はそのことをD機関で学んだ。

　シンシアはあの時、目の前の日本人の若者がたとえどんな犠牲を払ってでも謎を解き明かすつもりであることを理解した。同時に、彼が解いた謎に対して責任を取るつもりであることも。

　だから、彼女は内海にすべてを話した。

　愛娘と愛犬を彼に託すために……。

　ドイツの諜報機関は工作員全員に即効性の毒薬を渡している。

　シンシアはもはやこの世の人ではあるまい。

内海はシンシアに託された幼い女の子を腕に抱いたまま、南国のまぶしい陽光に目を細めた。

――やれやれ、俺はこれからいったいどうするつもりなんだ？

これまでの人生において、目の前に立ち塞《ふさ》がる謎は全て解き明かしてきたつもりだった。だが、初対面の見知らぬ女とさっきとっさに交わした約束だけは、そしてそんな約束を交わした自分自身とは、どうやら今後も解き明かせない謎《エニグマ》として付き合っていくしかないようだ……。

首にしっかりと抱きついたエマに目を向ける。

母親似の青い目を大きく見開き、船の周りを跳びはねるイルカの群れにすっかり心を奪われている様子だ。

足に何か触れた気配がして、目をやると、フラテが力一杯しっぽを振りながら黒い瞳で見上げていた。

「そうか。お前も一緒だな」

内海は苦笑して呟き、脳裏に浮かんだ結城中佐の顔を巨大な入道雲の彼方へと追いやった。

「……ハワイ、か」

子供を育てるには良い場所かもしれない。

「まあ、何とかなるだろう」

次第に大きくなる背後の騒ぎからエマの耳を塞ぐように、内海は唇を丸め、口笛で〝エニグマ変奏曲〟を高らかに吹き始めた。

柳広司　著作リスト

○長編　●短編及び連作短編集　◇エッセイ集

○『黄金の灰』（原書房／創元推理文庫）
○『贋作「坊っちゃん」殺人事件』（朝日新聞社／集英社文庫／角川文庫）
○『饗宴　ソクラテス最後の事件』（原書房／創元推理文庫／角川文庫）
○『はじまりの島』（朝日新聞社／創元推理文庫）
○『新世界』（新潮社／角川文庫）
●『パルテノン』（実業之日本社／実業之日本社文庫）
●『ザビエルの首』（講談社ノベルス／講談社文庫）
○『吾輩はシャーロック・ホームズである』（小学館／角川文庫）
○『トーキョー・プリズン』（角川書店／角川文庫）
●『シートン探偵記』（光文社／光文社文庫／文春文庫）
●『百万のマルコ』（創元推理文庫）
●『漱石先生の事件簿　猫の巻』（理論社／角川文庫／角川つばさ文庫）

●『ジョーカー・ゲーム』（角川書店／角川文庫）
○『虎と月』（理論社／文春文庫）
●『ダブル・ジョーカー』（角川書店／角川文庫）
○『キング&クイーン』（講談社／講談社文庫）
●『ソクラテスの妻』（『最初の哲学者』改題）（幻冬舎／文春文庫）
○『ロマンス』（文藝春秋／文春文庫）
●『怪談』（光文社／講談社文庫）
●『パラダイス・ロスト』（角川書店／角川文庫）
○『幻影城市』（『楽園の蝶』を改題）（講談社／講談社文庫）
○『ナイト&シャドウ』（講談社／講談社文庫）
●『ラスト・ワルツ』（KADOKAWA／角川文庫）
●『象は忘れない』（文藝春秋／文春文庫）
◇『柳屋商店開店中』（原書房）
○『風神雷神』（講談社）
◇『二度読んだ本を三度読む』（岩波新書）
○『太平洋食堂』（小学館）

※二〇二〇年七月現在

本書は、二〇一二年三月に小社より刊行した単行本を文庫化したものです。

パラダイス・ロスト

柳《やなぎ》広《こう》司《じ》

平成25年 6月20日　初版発行
令和6年 12月15日　31版発行

発行者●山下直久

発行●株式会社KADOKAWA
〒102-8177　東京都千代田区富士見2-13-3
電話　0570-002-301(ナビダイヤル)

角川文庫 17960

印刷所●株式会社KADOKAWA
製本所●株式会社KADOKAWA

表紙画●和田三造

●お問い合わせ
https://www.kadokawa.co.jp/（「お問い合わせ」へお進みください）
※内容によっては、お答えできない場合があります。
※サポートは日本国内のみとさせていただきます。
※Japanese text only

ISBN978-4-04-100826-3　C0193

◆◇◇

角川文庫発刊に際して

角川源義

第二次世界大戦の敗北は、軍事力の敗北であった以上に、私たちの若い文化力の敗退であった。私たちの文化が戦争に対して如何に無力であり、単なるあだ花に過ぎなかったかを、私たちは身を以て体験し痛感した。西洋近代文化の摂取にとって、明治以後八十年の歳月は決して短かすぎたとは言えない。にもかかわらず、近代文化の伝統を確立し、自由な批判と柔軟な良識に富む文化層として自らを形成することに私たちは失敗して来た。そしてこれは、各層への文化の普及滲透を任務とする出版人の責任でもあった。

一九四五年以来、私たちは再び振出しに戻り、第一歩から踏み出すことを余儀なくされた。これは大きな不幸ではあるが、反面、これまでの混沌・未熟・歪曲の中にあった我が国の文化に秩序と確たる基礎を齎らすためには絶好の機会でもある。角川書店は、このような祖国の文化的危機にあたり、微力をも顧みず再建の礎石たるべき抱負と決意とをもって出発したが、ここに創立以来の念願を果すべく角川文庫を発刊する。これまで刊行されたあらゆる全集叢書文庫類の長所と短所とを検討し、古今東西の不朽の典籍を、良心的編集のもとに、廉価に、そして書架にふさわしい美本として、多くのひとびとに提供しようとする。しかし私たちは徒らに百科全書的な知識のジレッタントを作ることを目的とせず、あくまで祖国の文化に秩序と再建への道を示し、この文庫を角川書店の栄ある事業として、今後永久に継続発展せしめ、学芸と教養との殿堂として大成せんことを期したい。多くの読書子の愛情ある忠言と支持とによって、この希望と抱負とを完遂せしめられんことを願う。

一九四九年五月三日

柳 広司の好評既刊

ジョーカー・ゲーム

吉川英治文学新人賞&日本推理作家協会賞W受賞作!

「魔王」――結城中佐の発案で陸軍内に極秘裏に設立されたスパイ養成学校〝D機関〟。「死ぬな、殺すな、とらわれるな」。この戒律を若き精鋭達に叩き込み、軍隊組織の信条を真っ向から否定する〝D機関〟の存在は、当然、猛反発を招いた。だが、頭脳明晰、実行力でも群を抜く結城は、魔術師の如き手さばきで諜報戦の成果を上げてゆく。東京、横浜、上海、ロンドンで繰り広げられる、究極のスパイ・ミステリー。

角川文庫　ISBN 978-4-04-382906-4

柳 広司の好評既刊

ダブル・ジョーカー

「ジョーカー・ゲーム」
シリーズ第二弾

結城中佐率いる〝D機関〟の暗躍の陰で、もう1つの諜報組織〝風機関〟が設立された。だが、同じカードは二枚も要らない。どちらかがスペアだ。D機関の追い落としを謀る風機関に対して、結城中佐が放った驚愕の一手とは――。表題作「ダブル・ジョーカー」ほか、〝魔術師〟のコードネームで伝説となったスパイ時代の結城を描く「柩」など5篇に加え、単行本未収録作「眠る男」を特別収録。天才スパイたちによる決死の頭脳戦、早くもクライマックスへ――。

角川文庫　ISBN 978-4-04-100328-2

柳 広司の好評既刊

ラスト・ワルツ

「ジョーカー・ゲーム」シリーズ第四弾

華族に生まれ陸軍中将の妻となった顕子は、退屈な生活に倦んでいた。アメリカ大使館主催の舞踏会で、ある人物を捜す顕子の前に現れたのは——(「舞踏会の夜」)。ドイツの映画撮影所、仮面舞踏会、疾走する特急車内。帝国陸軍内に極秘裏に設立された異能のスパイ組織〝D機関〟が世界で繰り広げる諜報戦。ロンドンでの密室殺人を舞台にした特別書き下ろし「パンドラ」収録。加速する頭脳戦、ついに最高潮へ! スパイ・ミステリの金字塔「ジョーカー・ゲーム」シリーズ!

角川文庫 ISBN 978-4-04-104023-2

柳 広司の好評既刊

新世界

殺すか、狂うか。

1945年8月、砂漠の町ロスアラモス。原爆を開発するために天才科学者が集められた町で、終戦を祝うパーティーが盛大に催されていた。しかしその夜、一人の男が撲殺され死体として発見される。原爆の開発責任者、オッペンハイマーは、友人の科学者イザドア・ラビに事件の調査を依頼する。調査の果てにラビが覗き込んだ闇と狂気とは――。

角川文庫 ISBN 978-4-04-382901-9

柳 広司の好評既刊

トーキョー・プリズン

探偵小説で切り込む戦後史

戦時中に消息を絶った知人の情報を得るため巣鴨プリズンを訪れた私立探偵のフェアフィールドは、調査の交換条件として、囚人・貴島悟の記憶を取り戻す任務を命じられる。捕虜虐殺の容疑で拘留されている貴島は、恐ろしいほど頭脳明晰な男だが、戦争中の記憶は完全に消失していた。フェアフィールドは貴島の相棒役を務めながら、プリズン内で発生した不可解な服毒死事件の謎を追ってゆく。戦争の暗部を抉る傑作長編ミステリー。

角川文庫　ISBN 978-4-04-382902-6

柳 広司の好評既刊

吾輩はシャーロック・ホームズである

——夏目、狂セリ。

ロンドン留学中の夏目漱石が心を病み、自分をシャーロック・ホームズだと思い込む。漱石が足繁く通っている教授の計らいで、当分の間、ベーカー街221Bにてワトスンと共同生活を送らせ、ホームズとして遇することになった。折しも、ヨーロッパで最も有名な霊媒師の降霊会がホテルで行われ、ワトスンと共に参加する漱石。だが、その最中、霊媒師が毒殺されて……。ユーモアとペーソスが横溢する第一級のエンターテインメント。

角川文庫 ISBN 978-4-04-382903-3

柳 広司の好評既刊

漱石先生の事件簿　猫の巻

書生から見た
「漱石先生」の姿とは!?

探偵小説好きの「僕」はひょんなことから英語の先生の家で書生として暮らすことになった。先生は癇癪もちで、世間知らず。はた迷惑な癖もたくさんもっていて、その〝変人〟っぷりには正直うんざり。ただ、居候生活は刺激に満ち満ちている。この家には先生以上の〝超変人〟が集まり、そして奇妙奇天烈な事件が次々と舞い込んでくるのだから……。『吾輩は猫である』の物語世界がミステリーとしてよみがえる。抱腹絶倒の〝日常の謎〟連作集。

角川文庫　ISBN 978-4-04-382904-0

柳 広司の好評既刊

贋作『坊っちゃん』殺人事件

名作の裏に浮かび上がる、もう一つの物語。

四国から東京に戻った「おれ」——坊っちゃんは元同僚の山嵐と再会し、教頭の赤シャツが自殺したことを知らされる。無人島〝ターナー島〟で首を吊ったらしいのだが、山嵐は「誰かに殺されたのでは」と疑っている。坊っちゃんはその死の真相を探るため、四国を再訪する。調査を始めたふたりを待つ驚愕の事実とは？『坊っちゃん』の裏に浮かび上がるもう一つの物語。名品パスティーシュにして傑作ミステリー。

角川文庫　ISBN 978-4-04-382905-7

角川文庫ベストセラー

グラスホッパー　伊坂幸太郎

妻の復讐を目論む元教師「鈴木」。自殺専門の殺し屋「鯨」。ナイフ使いの天才「蟬」。3人の思いが交錯するとき、物語は唸りをあげて動き出す。疾走感溢れる筆致で綴られた、分類不能の「殺し屋」小説！

ハッピーエンドにさよならを　歌野晶午

望みどおりの結末なんて、現実ではめったにないと思いませんか？　もちろん物語だって……偉才のミステリ作家が仕掛けるブラックユーモアと企みに満ちた奇想天外のアンチ・ハッピーエンドストーリー！

魔物　(上)(下)　大沢在昌

麻薬取締官・大塚はロシアマフィアと地元やくざとの麻薬取引の現場を押さえるが、運び屋のロシア人は重傷を負いながらも警官数名を素手で殺害し逃走。その超人的な力にはどんな秘密が隠されているのか？

オリンピックの身代金　(上)(下)　奥田英朗

昭和39年夏、オリンピック開催を目前に控えて沸きかえる東京で相次ぐ爆破事件。警察と国家の威信をかけた捜査が極秘のうちに進められる。圧倒的スケールで描く犯罪サスペンス大作！　吉川英治文学賞受賞作。

長い腕　川崎草志

東京近郊のゲーム制作会社で起こった転落死亡事故と、四国の田舎町で発生した女子中学生による猟銃射殺事件。一見無関係に思えた二つの事件には、驚くべき共通点が隠されていた……。

角川文庫ベストセラー

角川文庫ベストセラー

クローズド・ノート　雫井脩介

自室のクローゼットで見つけたノート。それが開かれたとき、私の日常は大きく変わりはじめる――。『犯人に告ぐ』の俊英が贈る、切なく温かい、運命的なラブ・ストーリー！

使命と魂のリミット　東野圭吾

あの日なくしたものを取り戻すため、私は命を賭ける――。心臓外科医を目指す夕紀は、誰にも言えないある目的を胸に秘めていた。それを果たすべき日に、手術室を前代未聞の危機が襲う。大傑作長編サスペンス。

今夜は眠れない　宮部みゆき

中学一年でサッカー部の僕、両親は結婚15年目、ごく普通の平和な我が家に、謎の人物が5億もの財産を母さんに遺贈したことで、生活が一変。家族の絆を取り戻すため、僕は親友の島崎と、真相究明に乗り出す。

鬼の跫音　道尾秀介

ねじれた愛、消せない過ち、哀しい嘘、暗い疑惑――。心の鬼に捕らわれた6人の「S」が迎える予想外の結末とは。一篇ごとに繰り返される奇想と驚愕。人の心の哀しさと愛おしさを描き出す、著者の真骨頂！

直線の死角　山田宗樹

やり手弁護士・小早川に、交通事故で夫を亡くした女性から、保険金示談の依頼が来る。事故現場を見た小早川は、加害者の言い分と違う証拠を発見した。第18回横溝正史賞大賞受賞作。